現代史を知れば世界がわかる

舛添要一

SB新書
649

はじめに

世界で紛争が絶えない。イスラエルとハマスの戦闘やロシア軍のウクライナ侵攻などでは、多くの人命が失われている。核戦争が起これば、人類は滅亡の危機に瀕する。また、中国が経済発展を遂げ、世界の覇権をアメリカと争うようになっており、それに伴う経済摩擦も世界の不安定要因となっている。一方、日本では生産性が低下し、国際社会における競争力に陰りが見られる。

そして、独裁や専制が勢力を拡大し、自由な社会の存続が危うくなっている。

以上のような世界の状況については、毎日、テレビなどのマスコミを通して、世界中から洪水のように情報が入ってくる。しかし、なぜ、そのような事態になったのかを理解するのは簡単ではない。多くの人が、歴史や政治を専門にする私に解説を求めてくる。普通の市民にわかりやすく説明するにはどうすればよいか、苦労を重ねた結果、たどり着いたのが、現代史の流れの中に様々な事件を位置づけるという手法である。

たとえば、中東については、第一次世界大戦中のイギリスの二枚舌外交、ヒトラーによるユダヤ人の虐殺、第二次世界大戦後のイスラエルの建国、その後の四次にわたる中東戦争という歴史を知って初めて理解が深まる。

そこで、中東での紛争、ウクライナ戦争、核軍拡競争、日本経済の苦境、中国の台頭、民主主義体制と権威主義体制の競争という話題について、現代史の中にきちんと位置づけて解説することが不可欠だと確信したのである。

まず、各章の冒頭で、テーマになっている問題について現代史との関連を簡単に説明する。各章の冒頭部分を読めば、本書の問題意識が明らかになる。

その上で、各章で取り扱う重要な出来事について、さらに分析を深めていく。たとえば、ウクライナ侵攻をプーチン大統領が決意するまでに何が起こったのか。ソ連邦解体の屈辱、ウクライナの政権交代劇、アメリカ外交の失敗などを、現代史を叙述しながら説明する。

私は、日本の大学を卒業した後、ヨーロッパ諸国で国際政治史の研究を行ってきた。20

代の若き日々をフランス、スイス、ドイツなどヨーロッパで過ごし、現地の政治を観察し、また民主主義社会の光と影を体験した。帰国後、母校で教鞭をとった後、文筆・評論活動を継続し、政治の世界に入った。

学者としての研究のみならず、国会議員、閣僚、知事として政治の現場に身を置いた経験も、世界が直面する様々な課題を理解するのに役に立っている。海外の政治家との交流も、理論のみではどうしようもできない政治の現場の厳しさを理解する上で意味があったと思う。

本書は、そのような私の学問と実践を武器にして、国際政治を解説したものである。日々生起する、世界の出来事の理解に役立てば幸いである。

現代史を知れば世界がわかる　目次

第6章　民主主義は「幻想」にすぎないのか……219

第1章

ハマスはなぜイスラエルを攻撃したのか

2023年10月7日、ガザのイスラム過激派ハマスがイスラエルに奇襲攻撃を行った。イスラエルは、ハマスの殲滅(せんめつ)を掲げてガザへの報復攻撃を行い、多数の無辜(むこ)の民が戦火に倒れた。パレスチナ問題の深刻さがわかる。

この章では、世界に離散したユダヤ人の歴史を振り返り、その苦難の歩みを検証する。そして、世界で猛威を振るってきた反ユダヤ主義についても説明する。

第一次世界大戦のときに、イギリスはアラブとユダヤの双方に独立や建国を約束するという二枚舌外交を展開した。1948年にパレスチナの地にイスラエルが建国したため、そこに住んでいたパレスチナ人は難民となってしまった。アラブとイスラエルは大きな戦争を4回も繰り返した。キャンプ・デービッド(1978~1979年)、オスロ(1993年)と和解の試みは行われた。しかし、今やそれらの合意も死文化してしまった。

1978~1979年にはイラン革命が起こる。パーレビ王朝は倒れ、宗教指導者による統治が始まった。1979年11月、学生らがテヘランのアメリカ大使館を占拠し、アメリカとイランの関係は悪化した。

イラクの独裁者サダム・フセインは、イラン革命の混乱に乗じて1980年にイランに侵攻した。これがイラン・イラク戦争であるが、1988年8月まで続いた。

さらにサダム・フセインは、1990年8月にクウェートに侵攻し、併合した。湾岸戦争である。

2001年9月にはアメリカで同時多発テロが起こり、アメリカのブッシュ政権は、首謀者のアルカイダの指導者オサマ・ビン・ラディンを逮捕するためにアフガニスタンに侵攻し、タリバン政権を倒した。2003年3月には英米軍の攻撃でイラク戦争が始まり、サダム・フセイン政権は打倒された。

アフガニスタンに米軍は2011年から20年にわたって駐留したが、民主主義を定着させることができず、2021年8月には撤退した。

2010年秋にチュニジアで民主化を求める運動「ジャスミン革命」が起こり、それは、他のアラブ諸国にも広がり、「アラブの春」となった。シリア、リビアなどにもその動きは拡大した。しかし、西欧型の民主主義は育っていない。

反ユダヤ主義はなぜ広まったのか

２０２３年10月7日、イスラム組織ハマスがガザからイスラエルを数千発のロケット弾で攻撃し、戦闘員がイスラエル側に越境し、１２００人の兵士や市民を殺害したり、外国人を含む２００人余を人質として拉致したりした。

イスラエルのネタニヤフ政権は、ハマスの壊滅まで戦うとして報復攻撃を展開し、ガザでは、連日のイスラエル軍の攻撃で多くの住民が犠牲になり、また生活必需品の不足で人道的な危機が深刻化した。

イスラエル・パレスチナの地では、ユダヤ人とアラブ人の対立が続いている。１９４８年にイスラエルがこの地に建国して以来、イスラエルとアラブ諸国との間で4次にわたる戦争が繰り広げられてきた。これがパレスチナ問題であるが、一つの土地について二つの民族が所有権・生存権を主張しており、その主張が両者とも正しいという問題である。

パレスチナ問題を理解するには、ユダヤ人やアラブ人の古代からの歴史をひもとく必要がある。

ディアスポラ（離散）

古代のユダヤ人の歴史は『旧約聖書』に記述されているが、紀元前1500年頃にヘブライ人の最初の家長であるアブラハムが、カナーン（今のパレスチナ）に移住し、そこに約1600年住んだ。

その後、ヘブライ人の一部はエジプトに進出し、紀元前13世紀頃エジプトから追い出された。これを「出エジプト」という。そして、カナーンの地に戻り、ダビデ、ソロモンの時代に繁栄する。しかし、その後、アッシリア、新バビロニアに征服され、新バビロニアのネブカドネザル王によってバビロンに強制移住させられた。紀元前586年のことで、「バビロン捕囚」と呼ぶ。新バビロニアがアケメネス朝ペルシアのキュロス2世によって滅ぼされ、紀元前538年にヘブライ人（この頃からユダヤ人と呼ばれる）は捕囚を解かれ、カナーンに戻った。

この頃、中東はペルシア帝国が支配したが、その後、ローマ帝国が勢力を拡大し、カナーンはローマの属州（古代ローマ時代の海外の領地）となった。紀元66年、ユダヤ人がローマに対して武装蜂起するが、ローマに鎮圧され、ユダヤ人は殺害されたり、奴隷にされたりした。また、ユダヤ人はカナーンの地から追放され、各地に離散した（ディアスポラ）。カナーンも古代パレスチナの民族・ペリシテ人の名前から「パレスチナ」と改名された。

こうして、ユダヤ人は各地に散り、ユダヤ教を民族の絆（きずな）として、それぞれの地で少数派として生活することになった。

反ユダヤ主義

キリスト教が広まったヨーロッパ社会では、キリスト教徒はユダヤ教徒を軽蔑してきた。こうして中世以来、ユダヤ人は差別や迫害の対象となり、就くことのできる職業も限定された。極論すれば、人間として扱われなかったのである。それだけに、ユダヤ人は宗教的にも、人種的にも強固なアイデンティティを確立していった。

このユダヤ人蔑視の感情や行動は、19世紀後半のヨーロッパで、ユダヤ人はセム語系統の民族であって、西欧のアーリア民族に比べて劣っているという人種主義思想となり拡散した。これが「反ユダヤ主義（Antisemitism（アンチセミティズム））」である。

ロシアでは1881年にアレクサンドル2世が暗殺されたが、反ユダヤ主義者はこれをユダヤ人の犯行と決めつけて、多数のユダヤ人を虐殺した。そして、それ以降、「ポグロム

（ロシア語で、「破滅」、「破壊」を意味する）」と呼ばれるユダヤ人迫害の嵐が吹き荒れた。

ドレフュス事件

反ユダヤ主義を象徴するのがフランスで起こったドレフュス事件である。ユダヤ系のアルフレッド・ドレフュス大尉がドイツのスパイだという嫌疑をかけられ、1894年10月のパリ軍法会議で有罪になり、翌年4月に南アメリカの仏領ギアナの悪魔島に流刑になった。

ドレフュスの無罪を確信する作家のエミール・ゾラは、1898年1月13日付の『オロール』紙に、フェリックス・フォール大統領宛てに「私は弾劾する」という記事を書いて、この判決を批判した。こうして、この事件を巡って世論は二分し、フランス第三共和制を揺るがす大事件となった。当時のヨーロッパにおいて、反ユダヤ主義がいかに力を持っていたかを物語る事件である。とくに軍部とカトリック教会は、反ユダヤ主義に傾きがちであった。

1899年に再審となったが、6月に破毀院（フランス・イタリアなどの最高司法機関）は1894年の判決を破棄したものの、8月のレンヌ軍法会議はドレフュスに再び有罪を宣告した。しかし、ドレフュスは大統領特赦で出獄した。そして、遂に1906年7月12日に破毀院はレンヌ軍法会議の有罪判決を無効としたのである。

このドレフュス事件をパリで体験したのが、ハンガリー出身のユダヤ人ジャーナリスト、テオドール・ヘルツル（1860～1904年）である。ハンガリーのブダペストに生まれたヘルツルは18歳のときにウィーンに移り、文学、法律、ジャーナリズムなどを学んだ教養人である。ウィーンに広がる反ユダヤ主義、そしてロシアをはじめ東欧で頻発するユダヤ人迫害（ポグロム）に心を痛めた。

ヘルツルは、ウィーンの新聞の特派員としてパリに滞在しているときにドレフュス事件に遭い、フランスの反ユダヤ主義に衝撃を受けた。そして、「ユダヤ人が自らの国を建設する以外に問題は解決しない」と考えるようになったのである。ヨーロッパ以外の地にユダヤ人が安住できる国家を作ろうと考え、行動に移した。これがシオニズムである。シオンとは、エルサレム南東にある丘の名前である。ユダヤ系財閥のロスチャイルド家は財政的にこの運動を支援した。

ヘルツルは、1897年にスイスのバーゼルで第1回シオニスト会議を開いた。

イスラエルとパレスチナはなぜ対立しているのか

第一次世界大戦のとき、イギリスは対戦国ドイツの同盟国オスマントルコを後方から攪乱するために、アラブ人の力を借りた。見返りに、戦後にアラブに独立を認めるとしたのである。この協定は、イギリスの中東担当弁務官マクマホンとメッカの太守であるフセインの間で、1915年7月から1916年3月の間に交わされた書簡の内容で、「フセイン・マクマホン協定（書簡）」と呼ばれている。この約束に基づいて、アラブの反乱を指導したのが、映画などで有名な「アラビアのロレンス」である。

フセインは1916年にヒジャーズ王国を建国し、1918年にはフセインの子であるファイサルがダマスカスを占領し、シリアの独立を宣言した。

サイクス・ピコ協定とバルフォア宣言

しかし、イギリスは二枚舌、三枚舌外交を展開した。1916年、三国協商を結んでいたイギリス、フランス、ロシアの三国は、戦後にオスマン帝国を分割して管理するという秘密協定を結んだ。

その具体的な内容は、イギリスがイラクとシリア南部、フランスがシリア北部とキリキア（小アジア東南部）、ロシアはコーカサスに接する小アジア北部を領有し、パレスチナは国際管理するというものであった。ロシアは、1917年のボリシェヴィキ革命（59ページで後述）によって秘密協定から離脱した。この協定は、交渉したイギリスの政治家サイクスとフランスの外交官ピコの名前から「サイクス・ピコ協定」と呼ばれる。

この協定とフセイン・マクマホン協定が矛盾していることは明白である。


さらに、1917年11月、イギリスは、戦後、パレスチナにユダヤ人国家を建設することを認めるとユダヤ人に宣言した。これは、ロイドジョージ内閣のバルフォア外相が、ロンドンのユダヤ人財閥のウォルター・ロスチャイルドに書簡を送って記したもので、公開された。これを「バルフォア宣言」と呼ぶ。

世界のユダヤ人の間ではユダヤ国家の樹立を求めるシオニズムの運動が高まっており、イギリスはそれに迎合し、ロスチャイルド家などからの戦費の支援を期待したのである。

第一次世界大戦後、パレスチナはイギリスの委任統治領となり、ユダヤ人は入植を開始

図1

① パレスチナ分割決議案（1947年）　② 第1次中東戦争（1948〜49年）　③ 第3次中東戦争（1967年）

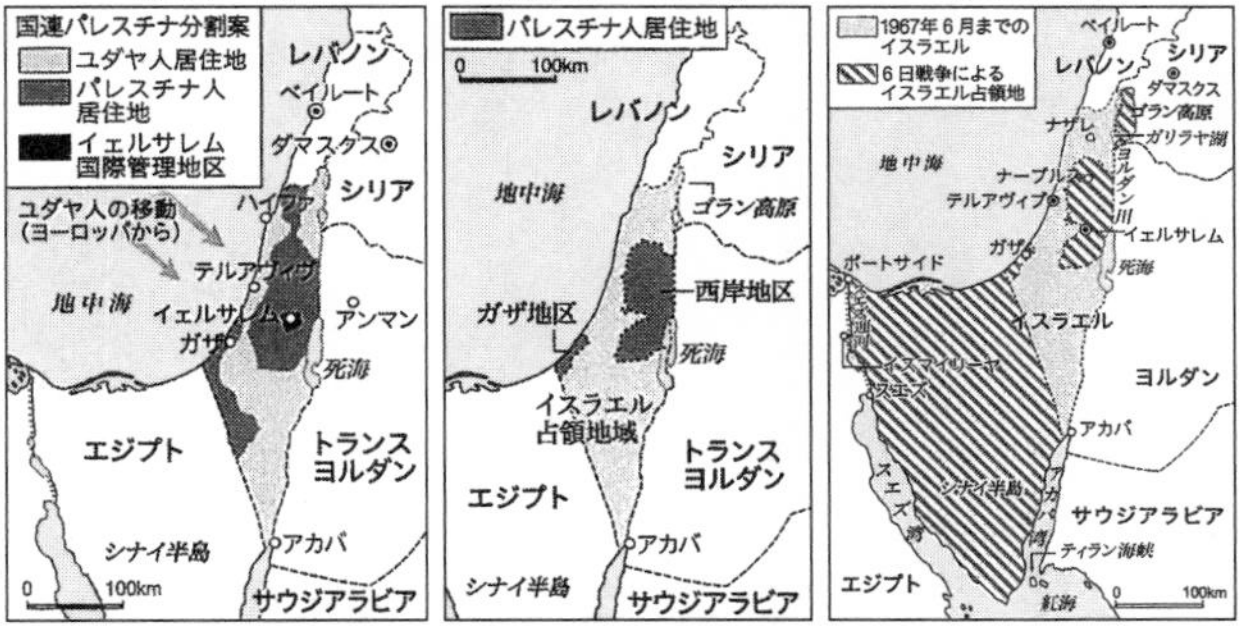

出典:『詳説世界史図録 第5版』（山川出版社）P249より引用

し、国家建設の準備を始めた。アラブ人は、バルフォア宣言の撤回を求め、ユダヤ人を襲撃し、ユダヤ人も自衛のために武装した。

今日に至るパレスチナ問題の源は、イギリスの二枚舌、三枚舌外交にある。

イスラエル建国

第二次世界大戦が終わると、委任統治国のイギリスは、パレスチナ問題の解決を国連に委ねた。国連は、1947年11月、パレスチナを分割してユダヤとアラブの二つの国家を作る決議（パレスチナ分割決議）を採択した。土地の面積では、前者が56%、後者が43%の比率であった。残りの1%は、国連管理の中立地帯でエルサレムとベツレヘムなどであった。

この分割案をユダヤ人は歓迎したが、アラブ人は反対を表明した。ユダヤ人は1948年5月14日にパレスチナにイスラエル国家を建国し、シオニズムは目的を成就した。

しかし、その結果、居住地から追い出された数十万人のパレスチナ人は難民となってしまった。パレスチナ人にとっては、「ナクバ（大厄災）」の日である。

第一次中東戦争

イスラエル建国に反対するエジプト、サウジアラビア、イラク、シリアなどアラブ諸国は、翌日イスラエルに侵攻した。これが第一次中東戦争であるが、戦争はイスラエルの勝利に終わり、翌年6月に、国連の仲介で停戦が成立した。

イスラエルは、パレスチナに国連分割決議以上の領土を確保し、国家を建設した。アラブ側については、東エルサレム（旧市街）を含むヨルダン川西岸がヨルダンに、ガザ地区がエジプトに分割された。

イスラエルは、「嘆きの壁」があり、ユダヤ教の聖地であるエルサレム旧市街を獲得でき

図2　「中東」の国々

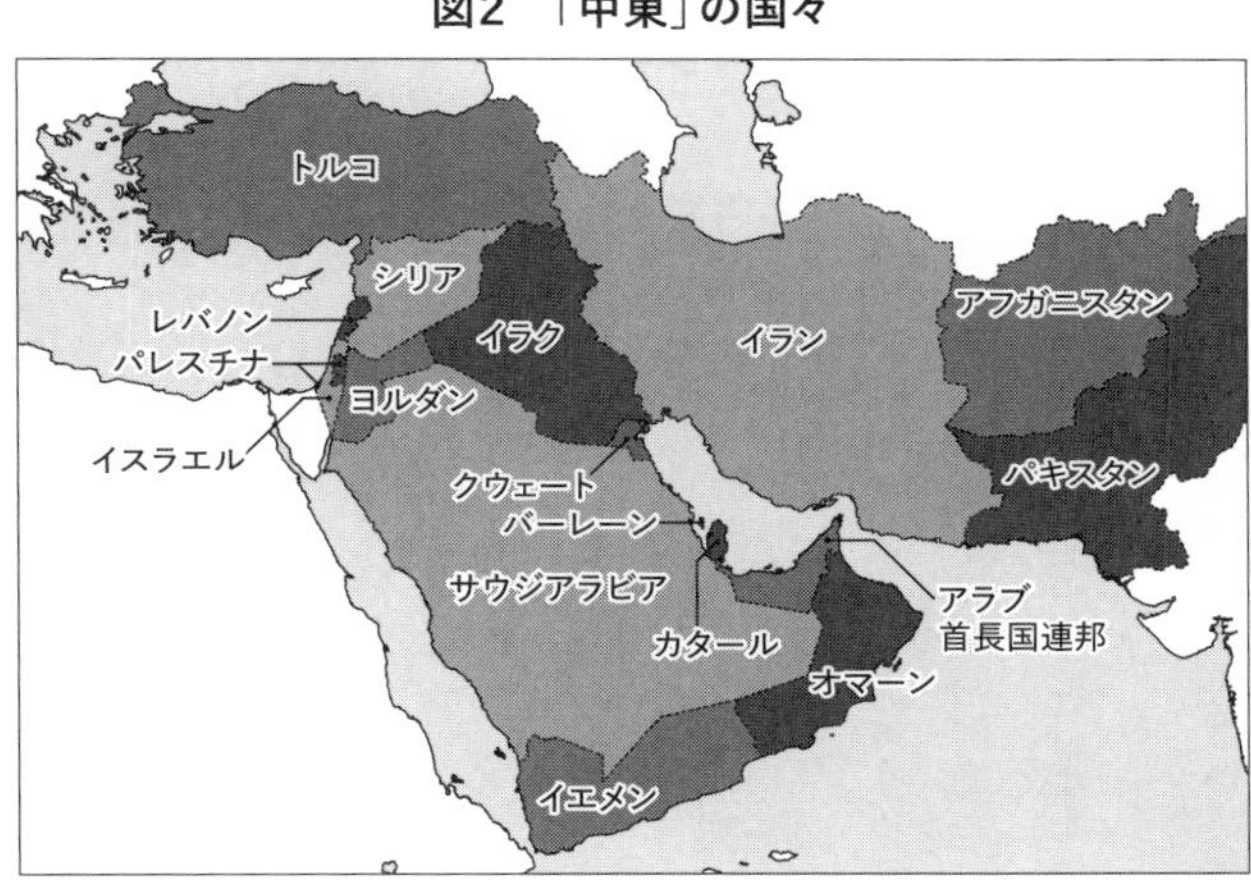

なかったし、アラブ側は大幅に領土を減らし、多くの民が難民となった。こうして双方に不満が残り、その後の対立と紛争の源となった。

1951年までにイスラエルの人口は140万人に増えた。一方、敗戦したアラブ諸国では、体制批判が強まり、1952年7月にはエジプトでナセルらの「自由将校団」が革命を起こし、王制を打倒して、共和制に転換した。

第二次中東戦争

エジプトは、ナイル川の氾濫（はんらん）に対処するため、1952年、イギリスの援助によるアスワン・ハイ・ダムの建設を計画した。革命のため、これは中止となったが、政権をとったナセル大統領は計画を再開し、英米の支援を取り付けた。

しかし、ナセルはソ連とも接近したため、アメリカはそれに抗議して、1956年7月19日に支援中止を通告した。そこでナセルは、財源を確保するため、同年同月にイギリスが管理するスエズ運河の国有化を宣言したのである。

イギリスはこれに反発し、スエズ運河の管理権維持のためにナセル政権の打倒を図り、アメリカに協力を求めた。しかし、アメリカはそれを拒否したため、イギリスはフランスと共同軍事行動を起こすことを決め、イスラエルも仲間に引き入れたのである。フランスは、アルジェリア戦争で独立勢力を支援するナセルを排除するのに賛成であった。

10月29日、三国のエジプト攻撃は、イスラエル軍のシナイ半島侵攻によって始まった。これが第二次中東戦争である。アメリカ、ソ連をはじめ国際社会は英仏・イスラエルを非難し、11月2日に国連総会は即時停戦を求める総会決議を採択した。

軍事的に追い詰められたエジプトは、廃船を沈めてスエズ運河を通航不能にするなど、抵抗を試み、またサウジアラビアも英仏と断交した。こうして、国際社会の圧力によって、11月7日、英仏・イスラエルは停戦を受け入れた。

国際世論の支持を受けたエジプトはスエズ運河の国有化に成功した。ナセルはアラブ世界で英雄視されるようになった。一方、この戦争の結果、イギリス経済は困窮し、国際的威信も低下した。

アラブ世界のリーダーとなったナセルは、アラブ民族の統合を掲げて、1958年2月にシリアと合同してアラブ連合共和国を樹立する。しかし、この連合は、1961年9月にシリアで起こった軍事クーデターによって解消された。

1964年5月にはパレスチナ解放を目指すPLO（パレスチナ解放機構）がアラブ人によって組織された。

第三次中東戦争

1967年6月5日、ヨルダン川の水利権を巡ってシリアと紛争状態になったイスラエルは、アラブ諸国を攻撃した。イスラエル軍の奇襲攻撃は功を奏し、エジプト、シリア、ヨルダンを撃破し、ヨルダン川西岸、ガザ、シナイ半島、ゴラン高原を占領した。また、東エルサレム（旧市街）の支配権も確立し、全エルサレムをイスラエル領とした。

イスラエル軍に完敗したアラブ側は、6月8日にヨルダンとエジプトが、6月10日にシリアが停戦した。こうして、6月10日には戦争は終わった。これが第三次中東戦争であり、6日戦争と呼ばれる。

国際社会はイスラエルの占領を認めず、国連安保理決議242(1967年11月22日)は、イスラエルの占領地への返還を求めている。しかし、イスラエルは占領地に入植者を続々と送り込み、さらに多くのパレスチナ人が難民となった。

アラブ諸国が構成するアラブ連盟は、9月の首脳会議において、イスラエルに対して「和平せず、交渉せず、承認せず」ということを決議した。2023年10月にハマスがイスラエルを奇襲攻撃したのは、UAE(アラブ首長国連邦)、バーレーン、スーダン、モロッコなどが2020年にイスラエルと国交を正常化し、サウジアラビアまでがそれに続こうとしたからである。因(ちな)みに、エジプトは1979年3月に、ヨルダンは1994年10月にイスラエルと平和条約を結んでいる。

第三次中東戦争でナセルの威信は失墜し、1970年9月28日に急死した。後任にはサダトが就任した。

さらに、この戦争の結果、スエズ運河も1975年まで閉鎖され、世界経済に大きな影響を与えた。

第四次中東戦争

この大勝利で慢心したイスラエルに対して、1973年10月6日、エジプトがシナイ半島に、シリアがゴラン高原に奇襲攻撃を仕掛けた。アラブの軍事力を過小評価し、油断していたイスラエル軍は後退を余儀なくされた。

開戦の日がユダヤ教の祝祭日、ヨム・キプールの日であったため、ヨム・キプール戦争と呼ぶが、これが第四次中東戦争である。奇しくも50年後に、ハマスがイスラエルに奇襲攻撃を行っている。

10月11日以降、イスラエルは反撃に出て、ゴラン高原を再占領した。また、シナイ半島でも中間まで戻し、エジプト軍を包囲する勢いとなった。この時点で、国連安保理は、10月22日に停戦を求める決議338を採択した。25日には国連安保理決議340が採択され、停戦監視のため国連緊急軍が編成された。

緒戦で成果を収めたエジプトのサダト大統領は、イスラエルにシナイ半島の返還を要求した。また、アラブの産油国は、イスラエルに対抗するために石油を政治的武器として活用する。

第4章で詳述するが、アラブ石油輸出国機構（OAPEC）が原油価格を引き上げるとともに、イスラエル支持国への石油禁輸も決め、第一次石油危機となり、世界経済を直撃した。停戦によって、シナイ半島はエジプトに返還される見通しとなったが、ヨルダン川西岸やガザ地区からのイスラエルの撤退は認められなかった。

和平への試みはなぜ挫折したのか

第三次中東戦争の後イスラエルに対してPLOがゲリラ闘争を展開したが、1970年9月、ヨルダンはPLOが王制にとって危険と判断した。そこでヨルダン政府はPLO排除を決め、難民キャンプなどを襲撃し、ヨルダン内戦となった。PLOのアラファト議長はヨルダンの難民キャンプを拠点としていたのである。PLOは拠点をレバノンに移した。PLOはテロ活動を活発に行った。たとえば、1972年9月にはミュンヘン・オリンピックを襲撃している。

1973年の第四次中東戦争の結果、1974年のアラブ首脳会議は、PLOをパレスチナ唯一の代表として認めた。また、ヨルダンがヨルダン川左岸の統治権を放棄したため、PLOはそこに国家を建設する計画を実施に移そうとした。

レバノンでは、拠点を移したPLOに対して、キリスト教マロン派（レバノンで影響力のあるキリスト教の一派）などが反発し、1975年4月にレバノン内戦が始まった。この内戦にシリアも参加し、PLOを攻撃した。

キャンプ・デービッド合意

そのような状況下で、エジプトのサダトは政策の大転換を図る決意を固める。サダトは、1977年にイスラエルを電撃訪問し、クネセット（議会）で演説した。1978年9月には、イスラエルのベギン首相とエジプトのサダト大統領が、アメリカのカーター大統領の仲介によって、大統領別荘のキャンプ・デービッドで12日かけて会談した。

その結果、両者は、エジプトはイスラエルを承認し国交を開くこと、そしてイスラエルはシナイ半島をエジプトに返還し、ヨルダン川西岸とガザ地区でのパレスチナ人の自治について交渉することで合意した（キャンプ・デービッド合意）。こうして単独和平を達成し、1979年3月26日にはイスラエルとエジプトの間で平和条約が締結されたのである。

しかし、この画期的な合意は、他のアラブ諸国やPLOによって厳しく断罪され、エジプトはアラブ世界で孤立した。サダトは、イスラム復興主義の過激派によって、1981年10月6日に暗殺された。

キャンプ・デービッド合意に加え、後述するようにイラン革命、イラン・イラク戦争によって、アラブ諸国が団結してパレスチナ人を支援する構図は崩壊した。

エジプトとイスラエルの和平は成立したが、双方の原理主義的過激派は、それを認めようとせず、武装闘争を止めなかった。アラファトに率いられるＰＬＯは、レバノンからイスラエルを攻撃したため、イスラエルは１９８２年6月、ＰＬＯに反撃するためレバノンに侵攻した。追い詰められたＰＬＯは本拠地をチュニジアに移したが、影響力を失ってしまい、イスラエルとの和平を模索せざるをえなくなった。

１９８７年12月、ガザ地区のパレスチナ人は、武器を持たず、投石などによるイスラエルへの抵抗を試みた。これをインティファーダと呼ぶ。

１９９０年8月、イラクのサダム・フセイン大統領はクウェートに侵攻し、これにアメリカが反撃し、湾岸戦争が起こるが、アラブ諸国間での戦争であり、アラブの団結は乱れた。ＰＬＯはイラクを支持したため、アラブ世界での孤立が深まった。

オスロ合意

１９９３年9月13日、ノルウェーの仲介で、オスロ合意が成立し、イスラエルのラビン首相とPLOのアラファト議長は、「パレスチナ暫定自治協定」を調印した。その内容は、両者は相互に承認し、PLOはイスラエルの生存権を認め、またテロを放棄するというものであった。そして、暫定自治宣言によって、ヨルダン川西岸とガザ地区にパレスチナ暫定自治政府が樹立され、着実にパレスチナの自治の拡大へと進むことが期待された。

しかし、イスラエルでもパレスチナでもオスロ合意に反対する過激派が武器を置かなかった。そしてイスラエル軍の撤退が予定通りに進まなかったり、新規にユダヤ人の入植地が作られたり、ユダヤ人過激派がパレスチナ人を攻撃したり、イスラム過激派によるテロや民衆のインティファーダが頻発したりと、和平への道のりは遠くなっていった。パレスチナではPLOの和平路線に反対する過激派のハマスが台頭し、自爆テロなどを繰り返した。またイスラエルでもリクードなどの右翼の強硬政党が勢力を伸ばした。オスロ合意に導いた労働党のラビン首相は、1995年11月4日にユダヤ教徒の急進派に暗殺された。

2001年3月に、リクード党に所属する強硬派のシャロンがイスラエルの首相に就任した。9月にはアメリカで同時多発テロが起こり、アメリカはアフガニスタンに侵攻した。シャロンは2002年3月、パレスチナ自治区に侵攻し、アラファト議長を軟禁した。アラファトは2004年11月に死去し、アッバスが後継者となった。

この間、リクード党内で右派のネタニヤフが台頭するが、シャロンは、対抗上、路線を転換した。具体的には、パレスチナ人国家の存在を認め、ガザからのイスラエル軍の完全撤退を決め、２００５年８月にはそれを実行した。

しかし、イスラエルはヨルダン川西岸で入植を進め、入植地に壁を建設してパレスチナ人の排除を続けた。このような状況に、過激派のハマスが勢いを増し、２００６年１月のパレスチナの総選挙で第一党に躍進した。アッバスが率いるＰＬＯ主流派のファタハはハマスの首相就任を拒否し、ハマスと対立した。その結果、ヨルダン川西岸はファタハ、ガザはハマスが統治するということになった。

シャロン首相が２００６年１月に病魔で倒れたため、右派の力が高まり、７月にはイスラエル軍が、レバノン南部を拠点とするシーア派武装組織ヒズボラを攻撃するためにレバノンに侵攻した。12月には、ガザを空爆し、ハマスもこれに応戦した。

こうして双方で二国家共存を否定する過激派が勢力を拡大し、オスロ合意は破綻した。２０２１年5月10日には、ハマスがガザからイスラエル軍にロケット弾を発射し、イスラエル軍がこれに報復した。この戦争は、エジプトの仲介で5月20日に停戦した。

そして、２０２３年10月７日、ハマスはイスラエルを奇襲攻撃したのである。

イラン革命はなぜ起こったのか

ハマスを支援しているのが、レバノンに拠点を置くヒズボラであるが、そのヒズボラの背後にはイランがいる。イランは、中東に展開する米軍施設を攻撃するなど、イスラエルやアメリカと対立している。

イランの歴史を振り返ると、古代にはペルシア人がアケメネス朝やササン朝を開き、西アジアに広大な帝国を築いた。7世紀にはイスラム教が勢力を伸ばし、イランはイスラム化された。16世紀にはサファヴィー朝を建て、シーア派（十二イマーム派）国家として、スンナ派のオスマン帝国やムガール帝国と抗争する。帝国主義の時代になると、石油資源に目をつけられ、イギリスやロシアの介入を招いた。

第一次世界大戦後、軍人のレザー・ハーンがクーデターを起こしてカージャール朝を倒し、1925年にパフレヴィー王朝を創設。1935年に正式な国名をイランとした。

第二次世界大戦後実権を握ったモサデク首相は1951年に石油を国有化するが、19

53年にアメリカが支援するクーデターで追放された。その後、レザー・ハーンの息子のパフレヴィー2世が復権し、独裁者として「白色革命」と呼ばれる近代化と親米政策を断行した。しかし、国民の生活は改善せず、過度の西欧化への批判も強まり、大衆の反発を招いた。

そのような大衆の不満を背景に、「白色革命」を批判したため国外追放となっていたシーア派最高指導者のホメイニ師は、海外から反政府活動を指導した。1978年になると、学生や市民は、王制批判の抗議活動を行い、それを鎮圧できなくなったパフレヴィー2世は、1979年1月に海外に逃亡した。

亡命先のパリから帰国したホメイニは、1979年2月11日に政権に就き、国名もイラン・イスラム共和国に変えた。その統治は、シャリア（イスラム法）に基づく厳格なもので、アメリカの「退廃した文化」は斥けられ、女性は外出時にはヘジャブの着用を義務化された。

新政権は、革命の混乱でメジャーズ（国際石油資本。欧米系の石油会社で、中東における石油資源を独占した）が撤退したために、石油の国有化を行った。この施策により原油の輸出を制限し、その結果石油価格が高騰し、第二次石油ショックが起こった。

アメリカ大使館人質事件

パフレヴィー2世は海外を転々としていたが、最後にアメリカへの入国を求め、アメリカ政府はこれを認めた。ホメイニ政権はその身柄の引き渡しを求めたが、拒否されたため、怒った学生らは、1979年11月テヘランのアメリカ大使館を占拠し、大使館員52人を人質にとって立て籠もった。

アメリカのカーター政権は、翌年の4月に、ペルシア湾に展開する空母から救出作戦を試みたが、ヘリコプターの故障で失敗した。

パフレヴィー2世は、最終的にはエジプトに亡命し、1980年7月27日にカイロで死去したため、アメリカ政府とイラン政府で人質解放への模索が始まった。9月22日にはイラン・イラク戦争が勃発し、イランは国際社会から孤立し、軍事的にも追い詰められた。これもまた、問題解決を早めることにつながった。

人質救出作戦の失敗によってカーター大統領の権威は失墜し、11月の大統領選挙でロナルド・レーガンに敗れた。そして、レーガンが大統領に就任した1981年1月20日に人質が解放された。444日ぶりのことである。

国際法違反の大使館占拠事件で、アメリカ国民のイランへの不信感は高まり、今でも解消していない。

イランの核開発疑惑

２００２年、イランが大規模原子力施設の建設を行っていることが発覚し、IAEA（国際原子力機関）が査察に入った。ウラン濃縮などの核関連活動も明らかになり、アメリカはイランに制裁を科した。IAEAとの交渉で２００３年、イランは全てのウラン濃縮・再処理活動の停止を決めた。

しかし、２００５年６月の大統領選挙で、保守強硬派のアフマディネジャドが当選し、穏健派のハタミ大統領の穏健派路線を変更した。そのため、２００６年12月、国連安全保障理事会は、イランに制裁を科すことを決めた。

その後も、イランの核兵器開発疑惑は続いていたが、２０１５年、米英独仏中露６カ国とイランが、イランの核開発の制限と経済制裁の解除を実施する核合意を決めた。

ところが２０１８年５月に、トランプ政権は一方的にイランとの核合意から離脱した。これに反発したイランは、核開発を再開した。

イラクのサダム・フセインの野望はなぜ潰えたのか

サダム・フセインは、1937年にイラク北部のティクリート近郊に生まれたが、第二次世界大戦後はバグダッドに移り、1957年に汎アラブ主義政党であるバアス党に入党する。1963年にバアス党の政権が発足すると、サダムは党と政府の要職に就いた。そして、警察や情報機関を傘下に置き、1979年7月に大統領に就任した。

イラン・イラク戦争

1979年2月にイラン革命が起こると、スンナ派のサダムは、国民の多数がシーア派のイラクに革命の波が押し寄せるのを危惧した。多くのアラブ諸国や欧米も同様の懸念を抱いていた。

革命の混乱に乗じて、サダムは、1975年にイランのパフレヴィー王朝と締結したアルジェ合意で失われたシャトルアラブ川の領土の回復も狙った。油田地帯の奪還を企図したのである。

こうして、１９８０年９月22日、イラク軍がイランに侵攻し、イラン・イラク戦争が始まった。イランは反撃したが、「革命の輸出」を恐れる周辺のアラブ諸国、そしてアメリカもソ連もイラクを支援した。とくにアメリカは、大使館人質事件以来イランを敵視しており、サダム・フセインに軍事支援を行った。

一方、シーア派が政権を握るシリア、独自路線をとるカダフィのリビアが、またイラクと対立するイスラエルがイランを支持した。

最初はイラクが優勢であったが、次第に劣勢になった。１９８２年４月、シリアがパイプラインを止めたため、イラクは石油を輸出できなくなり、戦況はイラクに不利に傾く。イランは、イラクに占領された領土を奪還したが、その後も戦争は続いていった。両軍はミサイルで相手の都市を攻撃した。また、イラクは毒ガスまで使用した。

１９８７年７月20日には、即時停戦を求める国連安保理決議５９８が採択された。イラクは受託に前向きであったが、イランは応じず、アメリカのタンカーを攻撃するなどした。１９８８年になって、米軍がペルシア湾に出動し、イランを牽制（けんせい）した。また、サウジアラビアは、イランと国交を断絶した。このような圧力を受けて、イランは７月に国連安保理決議５９８を受託し、８月20日に停戦が実現した。

イラン・イラク戦争の過程で、1981年5月、ペルシア湾岸のサウジアラビア、クウェート、アラブ首長国連邦、カタール、バーレーン、オマーンは、湾岸協力会議（GCC）を結成し、アメリカの支援を受けた。

湾岸戦争

イラン・イラク戦争で軍事大国となったイラクだが、戦費の調達のため多額の負債を背負い込んだ。しかも、原油価格下落によって収入の減少に悩んだ。サダム・フセインは、クウェートやUAEによる原油の過剰生産が価格下落の原因だとして、両国を非難した。

そして、1990年8月2日、イラク軍はクウェートに侵攻し、6時間で全土を制圧し、併合した。これに対して、国連安保理はイラクに撤退を求めるとともに、11月29日には加盟国の武力行使を認める決議678を採択した。そして、翌年1月17日に、米英軍が中心の34カ国から編成された多国籍軍がイラクを攻撃した。空爆及び地上軍の投入により、数日でイラクは敗北し、イラク軍は撤退した。クウェートは解放され、2月末には停戦となった。

国連安保理決議687（停戦決議）ではイラクは大量破壊兵器保有を禁止された。そして

UNSCOM（国連大量破壊兵器廃棄特別委員会）が設置され、調査・監視を行うことになる。

戦後、サダム・フセインは政権を維持し続け独裁傾向をさらに強めた。また、イラクとクウェートの国境は1993年5月27日の国連安保理決議833に基づいて画定された。

UNSCOMは、抜き打ち調査を行い続けたが、1998年には、イラクには核兵器も化学兵器もなく、生物兵器の存在は不明と報告している。1999年12月には、国連安保理決議1284が採択され、UNSCOMに代わってUNMOVIC（国連監視検証査察委員会）が設置された。なお、ロシア、フランス、中国は採決を棄権した。

アメリカ同時多発テロ

2001年9月11日、アメリカで、イスラム原理主義者が4機の航空機をハイジャックし、ニューヨークの貿易センタービル、ワシントンのペンタゴン（国防総省）に突っ込んだ。この同時多発テロの結果、5500人以上の人が犠牲となった。首謀者は、15ページで前述した「アルカイダ」を率いるオサマ・ビン・ラディンである。彼はサウジアラビアの出身であるが、イスラム原理主義者であるタリバンが政権を握るアフガニスタンに移住していた。

アメリカのブッシュ（子）政権は、ビン・ラディンの引き渡しをタリバン政権に求めたが、拒否された。そこで、テロとの戦いを断行するとして、10月7日、アメリカ、イギリスなど有志連合はアフガニスタンに侵攻した。12月には首都カブールを制圧し、タリバン政権は崩壊した。しかし、ビン・ラディンを逮捕することはできなかった。

イラク戦争

アフガニスタンのタリバン政権を打倒したアメリカのブッシュ政権は、２００２年１月の一般教書演説で、イラン、イラク、北朝鮮は大量破壊兵器を所有するテロ支援国家であると非難し、「悪の枢軸」と呼んだ。とくにイラクに対しては、核開発を行っている疑惑があるとして、サダム・フセインが国連の核査察を受け入れるように求めた。11月８日には国連安保理決議１４４１が採択され、イラクに１週間以内に査察を受け入れ、30日以内に全ての大量破壊兵器に関する情報を開示することを要求した。

サダム・フセインは渋々この要求を受け入れ、12月７日に報告書も提出した。翌年の１月、イラクを調査したUNMOVICとIAEAは国連安保理に報告し、大量破壊兵器存在の証拠は見つからないが、多くの疑問点が残るとした。

そこで、英米は対イラク戦争の準備を開始するが、フランスは賛成せず、査察期限の延長を求めた。そのため、英米は安保理決議なしで攻撃することを決め、２００３年３月19日、「イラクの自由作戦」と称する軍事侵攻に踏み切ったのである。攻撃の最大の理由は、イラクが大量破壊兵器を保有しているということであった。

英米軍は空爆に加え、地上軍を侵攻させて、４月４日にはバグダッドに到達し、９日にはサダム・フセイン政権は打倒された。５月１日にはブッシュ大統領が勝利宣言をした。サダム・フセインは逃亡したが、12月に捕捉され、２００６年12月に処刑された。

イラク戦争の際、バグダッドでの現地調査へ向かう著者。UNMOVIC、IAEAも訪問し、状況説明を受けた

イラク戦争のときに自民党の国会議員だった私は、自衛隊をイラクに派遣する準備のため、与党調査団のメンバーとして、空路ヨルダンに飛び、アンマンから長距離を陸路で移動し、６月21日にバグダッドに到着し、現地調査を行った。６月22日には、UNMOVIC、IAEAを訪問し、状況説明を受けている。南部のバスラにも立ち寄り、

クウェート経由で25日に帰国した。

日本の国会で7月にイラク特措法が成立し、2004年1月に自衛隊が現地に派遣された。その後、2011年には、開戦理由とされた「イラクに大量破壊兵器がある」というのは捏造(ねつぞう)であることが明白になったが、2003年6月に現地入りした私は、そのことを知る由(よし)もなかった。日本をはじめ多くの国の国民が、その嘘を信じたのである。

戦争後にイラクの再建が始まるが、20年経(た)っても、安定した民主主義の定着にはほど遠い状況である。

アフガニスタンでなぜタリバンが復権したのか

アフガニスタンは、第一次世界大戦後の1919年にイギリスの支配から独立し、君主制国家となった。1973年には王制が倒され共和制となり、1978年には共産主義を掲げるアフガニスタン人民民主党が政権に就いた。しかし、これに対抗する武装勢力は激しい抵抗運動を展開し、全土を制圧する勢いとなった。そこで、共産主義政権はソ連に助けを求めたのである。

ソ連軍の侵攻

この要請に応えたソ連のブレジネフ政権は、1979年12月24日、アフガニスタンにソ連軍を侵攻させた。ムジャーヒディーンと称する兵士たちは、抵抗活動を「聖戦（ジハード）」と位置づけたが、世界中からイスラム教徒の義勇兵が馳（は）せ参じたのみならず、アメリカや隣国のパキスタンが背後で武器援助などを行った。

こうして泥沼の戦争が10年も続いたが、ミハイル・ゴルバチョフの登場により、198

9年2月15日にソ連軍の完全撤退が完了した。

ソ連軍撤退の後にアフガニスタンは内戦状態となり、パキスタンから潤沢な資金と武器を供与されたタリバンが勢力を拡大していき、1996年には国土の大半を支配下に置いた。タリバンとは、イスラム原理主義の神学生らが、1994年に結成した武装集団である。マドラサ（イスラム神学校）の学生をアラビア語で「タリブ」と呼び、その複数形をパシュトゥー語で「タリバン」という。

アルカイダのビン・ラディンは、スーダンにいたが、1996年5月に拠点をアフガニスタンに移し、そこからテロ活動を指揮した。

アルカイダは、2001年9月11日にアメリカ同時多発テロを行った。そこで、前述したように、アメリカはアフガニスタンに対して、ビン・ラディンの身柄を引き渡すように要請したが、タリバンは拒否した。アメリカは、これに反発し、10月にアフガニスタンに侵攻し、タリバン政権を打倒した。タリバンは南部に逃れ、パキスタンからの支援で生き延びていった。

米軍のアフガニスタン駐留

アフガニスタン戦争の後、米軍の駐留下で、新しい国作りが始まった。ところが、そうして誕生した政権では、汚職が絶えず、政治も行政も十全には機能しなかった。そして、国民の不満は高まり、外国支配からの脱却を訴えるタリバンの主張に耳を傾ける者も増えたのである。

米軍の駐留は、アフガニスタンに統治能力のある政府を育てるには至らなかった。そして、20年間の駐留の末、2021年8月末に撤退したのである。12万人がアフガニスタンから脱出する悲劇となった。

タリバンは、イスラム法によって統治するとして、たとえば女性の教育や就労を制限している。美容院も閉鎖された。

国際社会はこのような統治に反発し、タリバン政権の承認には消極的である。民主主義陣営は、女性差別の撤廃が経済援助の条件だと圧力をかけているが、今のところ、タリバン側は、それに反応していない。

シリアやリビアではなぜ内戦が激化したのか

２０１０年12月にチュニジアで民主化を求める運動「ジャスミン革命」が起こり、それは、他のアラブ諸国にも広がり、「アラブの春」となった。

シリア内戦

シリアでは、40年にわたるアサド家の独裁に対する国民の不満が爆発し、抗議運動が起こった。シーア派の政権によって虐げられてきたスンナ派の人々が中心になり、次第に武装化、過激化していき、反政府組織の「自由シリア軍」を結成した。これに対して、アサド政権側は、ロシアやイランの支援を受けて対抗し、内戦となったのである。

これにスンナ派の過激派テロ組織であるイスラム国（ＩＳ）も介入したため、内戦が泥沼化していった。そのため、大量の難民が発生し、国外に避難した人は６６０万人、国内で避難生活を送る人は６７０万人と、第二次世界大戦後、最悪の難民となった。

２０１５年9月30日、ロシアはアサド政権を支援するために、ＩＳに対して空爆を行った。ロシアの介入の大義名分は、国際テロ集団ISを壊滅させるためだということである。

アメリカでは、2017年1月にトランプが政権に就き、2018年4月にはトマホークミサイルでアサド政権側の施設を攻撃した。しかし、2019年になると、それまでのアサド政権打倒という政策を転換して、ロシアと共にISを掃討することを最優先にするとしたのである。そして、この年10月には、トランプは、シリア北東部から米軍を撤退させると表明した。

こうして、トランプ政権がシリアから実質的に手を引き、ロシアはアサド政権を継続させることに成功した。

その結果、中東におけるロシアのプレゼンスが高まった。しかも、シリアから利用を認められている港は、ロシアにとっては地中海に面した唯一の海軍基地である。


アラブ連盟は、2023年5月7日、シリアの復帰を決めた。内戦によって、シリアは2011年以降、参加資格が停止されていたのである。

それは、アサド政権が今や内戦での軍事的勝利を確実にしたからである。2023年になってから、サウジアラビアとチュニジアがシリアと国交を正常化していた。

リビア内戦

リビアは帝国主義の時代にオスマン帝国の支配下にあったが、１９１１年にイタリア王国によって植民地化された。第二次世界大戦後、１９５１年に独立しリビア王国となるが、１９６９年9月、ムアンマル・アル＝カダフィがクーデターを起こし、政権を奪取した。

カダフィは、欧米と敵対して世界でテロを支援したため、アメリカからテロ支援国家に指定され、経済制裁も受けた。１９８８年4月には米軍（英軍も参加）はカダフィ暗殺を狙ったリビア空爆を行った。カダフィは外出中で、暗殺は失敗したが、このアメリカの軍事行動は国際社会の批判を浴びた。

リビアはこの空爆の報復として、１９８８年12月にパンアメリカン（パンナム）機を爆破する。２７０名の犠牲者を出したこの事件は、パンナムの経営破綻の一因にもなった。

その後、アメリカによる経済制裁緩和を狙って、カダフィは対米融和的姿勢に転換していき、２００１年9月11日にアメリカで同時多発テロが発生すると、首謀者のアルカイダを激しく非難した。

さらに、2003年3月に始まったイラク戦争が終わると、欧米に攻撃されてサダム・フセインの二の舞になることを恐れて、さらに対米融和を進め、2006年5月にはアメリカと国交正常化を成し遂げた。

2010年、チュニジアで民主化を求めるジャスミン革命が起こると、それはリビアにも波及する。2011年2月に反カダフィ派が立ち上がり、政権側と内戦状態になったが、NATOの軍事支援を受けた反体制派の「リビア国民評議会」が8月には首都トリポリを制圧した。10月には、カダフィは殺害された。こうして42年にわたる独裁政権が崩壊した。

しかし、その後、新しい政権を樹立することができず、憲法制定会議も開かれないまま、各派の対立が続き、2015年には暫定政権「国民合意政府（GNA）」ができた。しかし、反対派はこれを認めていない。首都トリポリを拠点とするイスラム勢力系の暫定政権と東部トブルクを中心とする世俗派の「代表議会」派が対立し、東西に二つの政府が存在する状況である。

ハフタル将軍が率いる東部の有力軍事組織「リビア国民軍（LNA）」は、代表議会と協力しており、トリポリに進軍し、激しい戦闘が行われた。これも、リビアから多くの難民がヨーロッパに流出する原因となった。

エジプトなどの提案で、2020年8月、GNAとLNAが停戦で合意し、2021年3月に暫定政府の首相に実業家のドベイバを選んだ。8カ月後の12月には、大統領選挙を行い、統一政権が成立する予定であったが、実施されないまま、今日に至っている。

東部の代表議会は、ドベイバ首相の任期が切れたとして、2022年2月にバシャガ元内相を首相に選出した。ドベイバ首相は、これを承認していない。こうして、東西で二つの政府、二人の首相が存在する状況となっている。

カダフィ政権崩壊後のリビアは、統一政府を樹立することができないまま今日に至っており、内戦に明け暮れてきた。産油国であるにもかかわらず、インフラの整備や国民福祉を充実させることができていない。

2023年9月、リビアで大雨が降り、東部では二つのダムが決壊し、大量の水が市街地に流れ込んで大洪水となった。犠牲者は2万人を超えた。内戦でインフラの整備もできない状況が悲劇を生んだのである。

トルコやイタリアは国連の認めるＧＮＡを支援し、ロシアはワグネルを派遣するなどしてＬＮＡを援助している。エジプト、サウジアラビア、ＵＡＥもＬＮＡを支援している。ヨーロッパ諸国でも、旧宗主国イタリアはＧＮＡを支持し、フランスはＬＮＡを支援している。

問題はアメリカである。国務省や国防総省はＧＮＡを支援しているのに対し、トランプ大統領はＬＮＡを支持した。それは、リビアにおけるテロを防ぐには、ＬＮＡの軍事力に頼る以外に手はないという現実的な判断に基づくものであった。この結果、アメリカの政策は分裂し、それがリビアの混迷を深め、結果的にロシアの進出を許したのである。

これまでのアメリカの中東、アフリカ政策は失敗の連続であったと言わざるを得ない。

第2章

ロシアはなぜウクライナを侵略したのか

2022年2月24日、ロシアがウクライナに侵攻した。1939年9月1日、ナチス・ドイツがポーランドに侵攻し、第二次世界大戦が勃発した光景と同じだ。ロシアのこの暴挙の背景にあるものは何か。第二次世界大戦後の冷戦、そしてベルリンの壁崩壊、ソ連邦解体という激動の歴史の中に、その答えが潜んでいる。20世紀になって、人類は二度にわたる世界戦争を経験したが、戦争後の処理がその後の歴史を大きく方向づけたのである。第一次世界大戦後の処理に失敗したからこそ、わずか20年後に第二次世界大戦が勃発した。その反省から第二次世界大戦後の処理は賢明に行われ、その結果、長い平和が続いた。

では、1989年の東西冷戦終焉後の「戦後処理」は上手くいったのか。答えは否であり、ウクライナ戦争の勃発につながっている。本章ではなぜ「戦後処理は失敗だったのか」を検討する。戦争が容易に終わらない背景には、ロシアの歴史とプーチン大統領の思想があり、またアメリカを中心とする西側諸国の対応もある。また、国際連合が機能していない状況にも注目する。

東西冷戦とは何だったのか

カール・マルクスは、「労働者が資本家に搾取される」資本主義社会を批判し、万人が平等な社会を作ろうとした。その目的を達成するために、フリードリヒ・エンゲルスと共著で、1848年2月にロンドンで『共産党宣言』を発表した。

この政治パンフレットが、共産主義、マルクス主義運動を世界に広めることになった。ブルジョアジー（資本家階級）とプロレタリアート（労働者階級）との間の階級闘争という単純な図式がわかりやすく、広範な人々の共感を呼び、社会主義運動、革命運動に身を投じる若者が続出した。

ロシア革命

ロシアのウラジーミル・レーニンもその一人であった。レーニンは、1917年秋に、帝政を打倒し、ボリシェヴィキ革命（ロシア革命）を成功させた。地球上で初めて、マルクス主義に基づく社会主義国、ソヴィエト社会主義共和国連邦が誕生したのである。

世界では、この社会主義国に大きな期待を寄せ、自国でも革命を成功させようとする動きが広まった。とくに知識人の間では、マルクス主義がブームとなり、社会主義を称える声が高まった。

一方、保守層は、「私有財産の禁止」というようなマルクス主義の主張に危機感を抱き、ボリシェヴィキの「ウイルス」が拡散しないように力を入れた。

第二次世界大戦は、アメリカ、イギリス、フランス、ソ連などの連合国が、ドイツ、イタリア、日本などの枢軸国を降して勝利した。戦争遂行のために協力していた連合国は、戦争が終わると、英米仏側とソ連が対立し、お互いに勢力圏を拡大しようとした。

アメリカは、世界中で共産主義を封じ込める「コンテインメント」政策を実行した。それに対して、ソ連は、東欧諸国を自らの勢力圏に組み込み、社会主義陣営を拡大した。スターリンは、アジアでは中国の毛沢東や北朝鮮の金日成を支援して共産主義国家を樹立させ、ソ連の力を誇示した。

この西側と東側の対立を、米ソ冷戦、東西冷戦と呼ぶ。自由な民主主義と共産党の一党独裁という二つの政治体制の対立である。

両陣営の対立は、経済を発展させるには、資本主義と社会主義のいずれが優れているかという競争でもあった。宇宙開発では、ソ連がアメリカより一歩先を進んでいたし、新しい国作りには社会主義計画経済のほうが相応しいと考える発展途上国も多かった。

ゴルバチョフの登場

しかし、自由のない体制では、国民の創造的活動は制約され、官僚主義が蔓延(まんえん)して、社会も経済も停滞していった。そこで、言論の自由など基本的人権を確立しようという動きが東欧諸国で起こり、ソ連でも、1985年に政権に就いたゴルバチョフが、1986年2月に改革路線（ペレストロイカ）に舵(かじ)を切った。

そして、その2カ月後の4月にチェルノブイリ原子力発電所で大事故が発生したが、最高権力者にも必要な情報が届かなかった。これに激怒したゴルバチョフは、秘密主義・官僚主義の弊害を痛感し、言論・報道の自由などを推進することにし、グラスノスチ（情報公開）政策を遂行することにしたのである。

ゴルバチョフは共産党一党独裁政治を改めることを決意し、1989年3月26日に、複数立候補、秘密選挙で第1回人民代議員選挙が行われた。古参の党幹部が多数落選し、ボリス・エリツィンなどの改革派勢力が進出し、ゴルバチョフを最高会議議長（国家元首）に選出した。

　1990年になると、ゴルバチョフは共産党一党独裁の廃止、複数政党制と大統領制の導入を人民代議員大会に提案し、3月の臨時大会で承認された。そして、代議員の投票でゴルバチョフが初代ソ連大統領に選出された。

　エリツィンは、1990年5月29日にロシア連邦共和国最高会議議長に就任し、7月に開催された第28回ソ連共産党大会で党改革を訴えたが保守派に拒否された。そこで、エリツィンは7月13日に共産党を離党し、新たな政治集団を立ち上げた。1991年6月12日にはロシア共和国大統領選が行われ、エリツィンが当選し、7月10日に大統領に就任した。そして、ロシア共和国の主権はソ連邦の主権に優越すると宣言したのである。因みに、7月16日にはウクライナも同様の宣言をしている。

　ゴルバチョフのペレストロイカの余波は大きく、その他の東欧諸国でも、非共産化、民主化の狼煙(のろし)が上がっていく。

　ポーランドでは、1989年6月の総選挙で自主管理労組「連帯」が圧勝し、1990年11月には連帯の指導者ワレサが大統領に選出された。ハンガリーは、1989年10月に人民共和国からハンガリー共和国に国名を変更し、民主化を始めた。チェコスロバキアでは、1989年11月に共産党の一党独裁が廃止され、12月には「市民フォーラム」の指導者ハベルが大統領に就任した（ビロード革命）。ルーマニアでは、1989年末にチャウシェスク政権が打倒され、チャウシェスク夫妻は処刑された。

ベルリンの壁崩壊とソ連邦の解体

ドイツでは、1989年11月にベルリンの壁が崩壊し、東ドイツ政府は機能不全に陥る。この機会をとらえて、西ドイツのコール首相は、ソ連に多額の経済援助を供与することを条件に東西ドイツ統一の承認をゴルバチョフから取り付け、1990年10月3日に統一が実現した。東西冷戦の終了を象徴する出来事であった。

ソ連邦では、構成する各共和国で連邦離脱の動きが強まっていった。ゴルバチョフは各共和国に大幅に権限を委譲することを考えたが、1991年8月に保守派がクーデターを起こした。エリツィンが徹底抗戦を国民に呼びかけ、クーデターは失敗した。クーデターの首謀者は、実はゴルバチョフの側近であったため、ゴルバチョフの権威は失墜し、権力はエリツィンへと移行していった。

エリツィンは、ソ連邦から離脱し、独立国家共同体（ＣＩＳ）を樹立することを決め、ウクライナ、ベラルーシをはじめ、旧ソ連邦を構成していた11カ国が参加して、1991年12月21日に発足した。こうして、ソ連邦が解体したのである。

レーニンのロシア革命によって誕生したマルクス主義に基づく人類初の社会主義国は死滅した。1917年から1991年、74年間にわたる実験であったが、「万人が平等な社会」を実現させるどころか、格差が拡大し、基本的人権も守れない弾圧と腐敗の暗黒が続いたのである。この実験は大失敗であった。マルクス主義や共産主義に対する幻想を二度と抱いてはならない。それがソ連の歴史が私たちに教えることである。

第二次世界大戦はなぜ起こったのか

1989年11月にベルリンの壁が崩壊し、12月2、3日に、ゴルバチョフはブッシュ大統領とマルタ島で会談し、両首脳は冷戦の終結を高らかに宣言した。

1945年2月にヤルタで米英ソ3カ国首脳が会談し、第二次世界大戦後の秩序について議論したが、それは米ソ冷戦という枠組みの構築であった。このヤルタ体制が終わったのであり、米ソ新時代が幕を開けたのである。この大きな変化を「ヤルタからマルタへ」と呼ぶ。実に45年ぶりの構造変化であった。

会談後、ゴルバチョフは、「私は、アメリカ大統領に対して、アメリカと戦端を開くことはもはやないと保証する」と述べた。また、ブッシュは「私たちは、永続的な平和を実現し、東西関係を持続的な協力関係とすることができる。これは、ここマルタでゴルバチョフ氏と私が始めた未来の姿である」と表明した。

ところが、それから33年後にロシアはウクライナに侵攻し、ウクライナはアメリカの武器支援で対峙（たいじ）している。米露が直接に戦端を開いたのではないが、両国が厳しく対立していることは否めない。マルタの希望は潰えてしまった。なぜこうなったのか。過去30年の間に何が起こったのか。

私は、アメリカがマルタ後の対応に失敗したことが大きな原因だと考えている。つまり、米ソ冷戦の「戦後処理」の失敗である。

戦争は、夥しい数の死傷者、また建造物やインフラの破壊など大きな被害を生む。交戦国双方に相手に対する激しい怒りと復讐の念を燃え上がらせる。今のウクライナ戦争もそうである。戦争という愚行を人類が繰り返す背景には、そのような憾みがある。

戦勝国が敗戦国に対して、領土の割譲や多額の賠償金を要求するのは、そのような心理が働くからである。敗戦国にとっては、戦争に負けた上に、さらに勝者による過酷な要求に苦しめられることになる。その苦しみが大きければ大きいほど、復讐心も募っていく。

第一次世界大戦

その典型的な例が第一次世界大戦の戦後処理であり、それがドイツにヒトラーのナチス政権を誕生させたのである。講和条約（ヴェルサイユ条約）によって、ドイツは領土を削減され、再軍備を禁止され、過酷な賠償を強いられた。

ヒトラーは、１９２０年に旗揚げしたナチス党の綱領で、屈辱的なヴェルサイユ条約の破棄、削られた領土を回復し、大ドイツ国を実現することを宣言した。そして、この講和条約によって禁じられた徴兵制を復活し、再軍備を実行することなどをうたったのである。

賠償金の支払いは経済を圧迫し、ハイパーインフレは人々に塗炭（とたん）の苦しみを味わせた。人々が生活に困窮すればするほど、ナチスの主張が支持されるようになった。当時のドイツ（ワイマール共和国）は、日本では女性に参政権がなかった時代に、男女とも参政権を有するなど、世界で最も民主的な国であった。ナチスは、そのワイマール共和国で、民主的な選挙によって、１９３２年7月、第一党に躍り出た。第一党の党首が首相になるのは当然であり、こうして１９３３年1月30日、ヒトラー内閣が成立したのである。

政権に就いてからは一気に独裁政治への道を進むのであるが、ナチスに政権を委ねたのは、ドイツの有権者であり、自由で民主的な選挙を通じてだったことを忘れてはならない。

ドイツは、3月には徴兵制を再導入し、再軍備を決め、1年後の１９３６年3月には非武装地帯のラインラントへ進駐した。

大ドイツ主義（オーストリアのドイツ人居住地も含めてドイツを統一すべきという考え方）の

ヒトラーは、次の標的としてオーストリアを狙い、1938年3月に独墺合邦(アンシュルス)を成し遂げる。ドイツと同様、オーストリア・ハンガリーも第一次世界大戦の敗戦国であり、オーストリア国民も熱狂的にヒトラーを支持したのである。

このアンシュルスに刺激されたのがチェコスロバキアのズデーテン地方に住むドイツ人で、ドイツへの帰還を求める運動を起こす。この問題の調停にチェンバレン英首相が乗り出し、9月にミュンヘンで、英（チェンバレン）独（ヒトラー）仏（ダラディエ）伊（ムッソリーニ）の首脳が集まって協議する。これが史上有名なミュンヘン会談で、ズデーテン地方のドイツへの割譲が決まった。「ミュンヘンの宥和(ゆうわ)」である。

ヒトラーの行動を正当化したのは、アメリカのウイルソン大統領が高らかにうたった民族自決主義である。

ミュンヘン会談で世界平和は保たれたと思った矢先の1939年3月、ヒトラーはチェコスロバキアを併合し、その半年後には第二次世界大戦を始める。

第二次世界大戦

この経緯を見れば、ヴェルサイユ条約が戦後処理の失敗の典型であることがよく理解できる。その反省から、第二次世界大戦の戦後処理は、敗戦国に対して寛大なものとなった。戦後のソ連の勢力圏拡大に危機感を抱いたトルーマンは、1947年3月、東西冷戦の開始を認め、全体主義によって自由を抑圧されている人々を援助することが自由なアメリカの責務であるとして、自由主義陣営と全体主義陣営の戦いという二元図式を提示した。

そして、全世界的規模で共産主義陣営を「封じ込める政策（コンテインメント）」が必要だとする「トルーマン・ドクトリン」を発表した。これを受けて、1947年6月5日、アメリカのマーシャル国務長官は、ヨーロッパ経済復興計画を発表した。アメリカが、欧州諸国に大規模な経済援助を行い、戦後復興を助けるという内容で、「欧州復興計画（ERP）」と称されたが、俗に「マーシャル・プラン」と呼ばれた。

この計画の目的は、欧州復興を促進し、経済の安定によって西欧への共産主義の浸透を防ぐことであった。第一次世界大戦後にドイツに過酷な賠償を科し、ドイツ経済を疲弊させたのとは対極的に、敗戦国のドイツやイタリアや日本に経済援助を供与し、復興を助けたのである。

敗戦国の日本は、戦後1952年までは米軍の占領下に置かれたが、私は1948年生まれなので、町で駐留軍兵士の姿をよく見かけたことを幼少時の記憶にとどめている。食料も不足する時代に、アメリカの援助物資で生きながらえたのである。

小学校の学校給食は牛乳ではなく、アメリカからの援助物資である脱脂粉乳であった。美味しい飲み物ではなく、とくに冷めたものを飲むのは苦痛であったが、その脱脂粉乳のおかげで栄養補給ができたのである。

また、ノミやシラミを退治するために、アメリカ製の殺虫剤ＤＤＴの白い粉末を髪に振りかけられたものである。シラミは発疹チフスを引き起こすが、ＤＤＴのおかげで、２００万人もの日本人が発疹チフスから救われたと推定されている。

私自身が体験したアメリカによる戦後処理の寛大な側面である。占領軍に対する反感や復讐心を持つどころか、感謝の念と親近感を覚えた。今や日本はアメリカの忠実な同盟国であり、その意味で、アメリカの戦後処理は成功したといえよう。

ソ連のスターリンは、アメリカのマーシャル・プランに対抗するため、支配下の東欧諸国を援助することにした。そして、それは１９４９年1月に発足したコメコン（COMECON 経済相互援助会議）という形に組織化された。東欧諸国で共産党政権が支配を続けるために、ソ連は厳しい統制を行うとともに経済援助をしたのである。

アメリカもソ連も、第一次世界大戦の戦後処理の失敗から大きな教訓を得たといえよう。

東西冷戦の「戦後処理」は成功したのか

東西冷戦は、西側の勝利、東側の敗北に終わった。アメリカは、これを民主主義と資本主義の勝利として喧伝したが、ソ連邦を構成する15の共和国が独立し、1共和国となったロシアにとっては、まさに「敗戦」であった。大国の威信は傷つけられ、経済的にも困窮した。

勝者であるアメリカは、この敗者のソ連をどのように処遇したか。第二次世界大戦後に敗者である日独伊枢軸国に対して示したような寛大な対応をしたのであろうか。答えは否である。第一次世界大戦後のヴェルサイユ条約と同じような過酷な処置を断行したのである。

第一次世界大戦の戦後処理に先祖返りしたかのような厳しい対応が、ウクライナ戦争の淵源となっている。米ソ冷戦に勝利したと有頂天になったアメリカは、冷戦の敗者への配慮を忘れたようである。

NATOの東方拡大

具体的には、NATOの東方拡大である。

ベルリンの壁が崩壊した後、西ドイツのコール首相は東西ドイツの統一を実現するために、ソ連の同意を得ようとした。しかし、ゴルバチョフは、西ドイツによる東ドイツの吸収合併や統一ドイツへのNATO軍の展開に反対した。

そこで、コールは、統一承認の見返りにソ連に巨額の経済支援を行うことを提案した。経済的苦境にあったソ連には、この手は有効であった。さらに、ゴルバチョフの安全保障上の懸念に配慮して、コールはNATO不拡大を約束したという。

当時の外交に携わった英独露の関係者も、その「約束」があったように言及しているが、一方で、「約束はなかった」という関係者もいる。

いずれが正しいか、それを証明する文書は残っていないが、そのような暗黙の了解はあったようである。この「約束」が奏功し、1990年10月3日にドイツ統一が実現した。

私は、友人でコール首相側近のホルスト・テルチック補佐官から、モスクワでの交渉の話をよく聞いたものである。

1年後の1991年12月にはソ連邦が崩壊したが、その後もNATO不拡大の「約束」は守られてきた。そしてNATOは、1994年1月に拡大の代替案として、信頼醸成を目的に「平和のためのパートナーシップ（PfP：Partnership for Peace）」を、他の欧州諸国及び旧ソ連構成国とともに創設した。つまり、東欧諸国はNATOに加盟しないまでも、パートナーとして扱うとしたのであり、これをロシアも了承した。

ところが1994年後半になって、クリントン大統領は、大統領選で東欧系移民の票を得るために、「NATOにはどの国も加盟できる」と表明し、大きく政策を変更したのである。

ドイツ統一前、西ドイツにて。著者（左）、テルチック補佐官（中央）、コール首相（右）

ドイツ統一を承認したロシアにとっては、「NATOは1インチたりとも東方には拡大しない」というのが約束だったはずである。このクリントンの豹変（ひょうへん）に、エリツィンは、「アメリカに裏切られた」と激怒した。

このクリントン政権の政策変更により、1999年3月にチェコ、ハンガリー、ポーランド

図3　戦後処理の比較

戦争	対応	成否	結果
第一次世界大戦	ヴェルサイユ条約	×	第二次世界大戦
第二次世界大戦	マーシャル・プラン	○	長期の平和
東西冷戦	NATOの東方拡大	×	ウクライナ戦争

出典：著者作成

がNATOに加盟した。これには、エリツィンも、その後継者と名指しされたプーチンも非難の声をあげた。プーチンは、2000年に大統領に就任するが、アメリカは、祝福ではなく、裏切りで応じたのである。

アメリカに対する不信感と怒りは、政権発足当初からプーチンの心に刻まれたのである。しかも、プーチンの傷口に塩を塗るかのように、NATOの東方拡大は進行していった。2004年3月にエストニア、ラトビア、リトアニア、スロバキア、スロベニア、ブルガリア、ルーマニアが、2009年4月にアルバニア、クロアチアが、2017年6月にモンテネグロが、2020年3月に北マケドニアがNATOに加盟した。

プーチンがウクライナ侵攻を決断した背景には、

NATO不拡大という約束を反故にしたアメリカの裏切りがあったのである。

ゴルバチョフは、「アメリカは傲慢かつ自信過剰になった」と批判し、『勝者』は新たな帝国を作ることを決めた。そこからNATO拡大という考えが出てきた」と厳しく指摘している（『ロシア通信』２０２１年12月24日）。

ベルリンの壁に続いてソ連という帝国も崩壊し、連邦を構成していた多くの州が独立国となった。ロシア（モスクワ）にとっては、領土が大きく削減されたことになる。それだけでも大きな苦痛であったが、かつてはソ連の衛星国であった東欧諸国が敵陣営のNATOに加わるということは、安全保障上ロシアは認めることができないのである。ロシアにとって許容の限界は、東欧諸国の中立国化までだったであろう。

しかも、NATOは「1インチたりとも拡大しない」という約束だったはずである。プーチンが復讐の念に燃えても不思議ではない。

ロシアはなぜこれほど「領土拡大」に執念を燃やすのか

1206年にモンゴル帝国を建国したチンギス・ハンは、次々と領土を拡大していった。第2代皇帝オゴデイ・ハンの時代にロシアを攻め、1237年にはモスクワを陥落させた。ロシアは、1480年までの約240年間にわたって、モンゴルの支配下に置かれたが、これを「タタールの軛（くびき）」と呼ぶ。

この2世紀半にわたる隷従の体験が、ロシア人のその後の考え方や生き方に大きな影響を与えたのである。

陸続きのユーラシア大陸を席巻する騎馬民族に蹂躙（じゅうりん）されたロシア人は、外敵に対して異常なまでの警戒心を抱き、安全保障を重視するようになった。ロシア人が、ソ連邦崩壊後にNATOの東方拡大を警戒したのは当然である。

ロシアにとって、隣国のベラルーシとウクライナは国境を接する最後の砦であり、絶対に敵には渡さないとプーチンは決意した。

ベラルーシは親露派のルカシェンコ政権であるが、ウクライナは反露・親西欧のゼレンスキー政権になった。そのため、プーチンの危機感は募り、2022年2月24日にウクライナに軍事侵攻したのである。

他国を侵略する行為は国際法上許されるものではないが、軍事侵攻を決意するまでの心理状態を説明すれば、以上のようになる。

モスクワ大公国のイヴァン3世は、1480年にキプチャク・ハン国への臣従を破棄して、「タタールの軛」からロシアを解放する。その孫が雷帝と呼ばれるイヴァン4世である。領土の拡張を試みるが、期待通りの成果を得ることができず、雷帝の死後、ロシアは不安定な「動乱時代（スムータ）」となり、対外戦争に負け、多くの領土を失った。

1613年にロマノフ朝が始まるが、1694年にはピョートル1世（大帝）が親政を開始し、西欧化・近代化を推進するとともに、ロシア領土を拡大し、ロシアを大国にしていく。プーチンは、このピョートル大帝の業績を称え、ウクライナ侵攻を「領土を奪還する」ための戦いだと正当化するのである。

ブレスト＝リトフスク条約

1917年、レーニンがボリシェヴィキ革命を成功させ、ロマノフ朝が倒れた。このロシア革命は第一次世界大戦中に起こったが、レーニンは革命政権を安定化させるために戦争を早く終わらせようとし、ドイツと11月後半からブレスト＝リトフスクで停戦交渉を開始した。

ウクライナでは、当時は中央ラーダ（評議会、ロシア語のソヴィエト）が権力を握り、反ボリシェヴィキの方針を貫いた。11月20日には「ウクライナ人民共和国」として事実上の独立を宣言し、12月17日にはボリシェヴィキと戦争状態に入った。

ボリシェヴィキ政府は、ウクライナにドイツが干渉するのを防ぐために、ドイツとの講和交渉を急いだ。ところが、中央ラーダは、一足先に１９１８年2月9日、ドイツと講和した。ウクライナは、ボリシェヴィキと戦うためにドイツ軍の支援を受け、それと交換にドイツに１００万トンの穀物の供給を約束したのである。

ウクライナの主要産品は、肥沃（ひよく）な大地が生み出す小麦などの穀物である。２０２２年に始まったウクライナ戦争で、その輸出が制限されたために、世界が食糧危機に陥ったことは周知の事実である。ドイツ軍はこの中央ラーダとの連携に力を得て、赤軍（ソヴィエト政権の軍隊）を攻撃し、首都ペトログラードに迫っていった。

そのような状況で、レーニンは革命の結果生まれた新体制を守るため、即刻の講和を主張して、3月3日に講和条約（ブレスト＝リトフスク条約）を締結した。その結果、ロシアは、フィンランド、ポーランド、バルト三国、ウクライナなど、多くの領土を失った。ドイツと手を組んだウクライナの裏切りが原因であり、この屈辱をスターリンもプーチンも忘れなかった。ウクライナへの怒りの念が、2022年のロシア軍のウクライナ侵攻の背景にある。

チェチェン、南オセチア、クリミア

その後、第二次世界大戦でスターリンはヒトラーに勝ち、領土を奪還し、東欧諸国を支配下に置いた。プーチンがスターリンを尊敬する理由は、広大な領土を誇る大国、帝国を復興させたからである。

ソ連邦解体後のNATOの東方拡大は、「21世紀のブレスト＝リトフスク条約」であり、それを是正し、帝国を復活させることこそが自らの責任であるとプーチンは確信している。

1999年8月に首相に就任したプーチンは、チェチェン紛争に介入し、親露派政権を樹立した。2000年3月の大統領選挙でプーチンは当選し、引き続き大国ロシアの復活という課題に挑戦していく。

1991年のソ連邦の解体で独立国となったジョージア（グルジア）で、2008年に南オセチア紛争（ロシア・グルジア戦争）が起こった。ジョージアには、親露派で分離独立を唱える南オセチアとアブハジアが存在していた。

2008年8月、グルジア軍は南オセチアの首都ツヒンヴァリに対し軍事行動を起こしたが、ロシア軍が南オセチアに入り、激しい戦闘が行われた。その結果、グルジア軍は撤退を余儀なくされ、ロシアは南オセチアとアブハジアの独立を承認したのである。

2022年2月のロシア軍によるウクライナ侵攻は、この2008年のグルジアに似ている。親露派勢力の要請で軍事侵攻し、独立国として承認するというパターンである。

2014年3月、ロシアはクリミア半島を併合した。その根拠は、住民投票によってロシア帰属が決められたことであるが、その住民投票はウクライナ憲法違反である。そこで、ロシアは、クリミアに独立宣言をさせ、独立国家としてロシアに併合したのである。ウクライナ侵攻の直前の2022年2月21日、ロシアは東部のルガンスクとドネツクを独立国家として承認したが、クリミア併合と同じプロセスを追求するためであった。

西側諸国もウクライナ戦争の責任を負うべきか

クリミアを併合するまでのプーチンの外交軍事の成功は、版図を広げ、大国の復活を目指すことを望むロシア国民の喝采するところであった。支持率が上がるのは当然である。周到な準備と果敢な行動力がプーチンの成功につながったことは否定できないが、同時に忘れてはならないのは、それを可能にしてきたのはアメリカをはじめとする西側諸国の無関心と不作為であったということである。

ブダペスト覚書

ベルリンの壁が崩壊し、ソ連邦が解体した後の最大の問題の一つが、核兵器の管理である。

1968年に国連で採択され、1970年3月に発効した条約に、核拡散防止条約（NPT）という取り決めがある。それは、アメリカ、フランス、イギリス、中国、ソ連（ロシア）5カ国以外には核兵器の保有を認めないという約束である。核保有国を増やさないということでは評価できるが、批判的に言えば、国連安全保障理事会の常任理事国のみで核兵器を独占するということである。

唯一の被爆国である日本は、1970年2月に署名し、1976年6月に批准している。締約国は191カ国・地域にのぼる（2021年5月現在）が、参加していないのはインド、パキスタン、イスラエル、南スーダンである。5大国による核兵器の独占に反対しているからである。南スーダン以外の3カ国は既に核兵器を保有していると見られている。

ソ連時代には、連邦を構成していたベラルーシ、ウクライナ、カザフスタンには核兵器が配備されていた。もし、この3カ国が独立後もそのまま核兵器を保有し続ければ、核兵器保有国が3カ国増えることになってしまい、NPTに違反することになる。

そこで、ソ連邦から独立する際に、この3共和国がNPTに加盟し、核兵器を放棄する（具体的にはロシアに引き渡す）ことにしたのである。1994年12月5日に、ハンガリーの首都ブダペストでOSCE（欧州安全保障協力機構）会議が開かれ、核放棄の見返りとして、ロシア、アメリカ、イギリスは、この3カ国の安全を保障することを約束した。こうして署名された文書を、ブダペスト覚書と呼ぶ。

2014年3月にロシアはクリミアを併合したが、ウクライナはブダペスト合意違反だと抗議した。ロシアは住民投票の結果だと反論したが、クリミア併合がブダペスト合意の違反であることは明白である。しかし、アメリカもイギリスも経済制裁は科したが、それは重いものではなく、合意を遵守させるための具体的・実効的な手は打たなかったのである。このような西側の姿勢が、プーチンを増長させたといえよう。

２０２２年のロシア軍によるウクライナ侵略についても、ブダペスト合意違反である。この覚書は反故にされてしまっている。もはやこの覚書に頼ることはできず、それに代わって強力な法的担保のある安全保障体制の構築が必要である。

ブカレスト宣言

外交では、プーチンは西側との協調路線を維持した。２００６年7月には、Ｇ８の議長国として、サンクトペテルブルクでＧ８サミットを開催している。

２００７年2月10日、ミュンヘン安全保障政策会議で、プーチンは、「冷戦後にアメリカ一極集中の世界は実現しなかった」と述べ、「アメリカの一方的な行動は問題を解決しておらず、新たな緊張をもたらしている」と指摘した。そして、NATO の東方拡大を「相互信頼のレベルを低下させる深刻な挑発行為」だと厳しく批判したのである。

それまでプーチンは、西側との協調路線を歩み、NATOの東方拡大などの屈辱にも耐えてきたが、ここにきて堪忍袋の緒が切れたように、アメリカへの不満を爆発させたのである。この演説は西側に大きな衝撃を与えたが、アメリカは、その不満の深刻さを正確に認識できなかったのである。冷戦の勝者として、敗者の痛みなど無視したアメリカの傲慢さ、鈍感さが、その後の事態の悪化の背景にある。

アメリカは、NATOの東方拡大へのロシアの懸念を真剣に受け止めず、さらに傷口に塩を塗るような行為に出た。2008年春にブカレストで開かれたNATO首脳会議において、アメリカはウクライナとジョージアの加盟を強く主張したのである。これは、プーチンの神経を逆なでする提案であった。ロシアの反発を懸念するフランスとドイツの反対で、首脳会議は「ウクライナとジョージアをいずれNATOに加盟させる（will become member)」と、加盟時期を明示しない宣言をまとめた。これが、ブカレスト宣言と呼ばれるもので、4月3日に採択されている。

プーチンにしてみると、フランスやドイツは冷戦の敗者であるロシアに一定の配慮をしているが、アメリカはロシアの封じ込めしか考えていない冷徹な勝者である。イギリスは、アメリカの立場に近い。つまり、西側の中で、「米英vs独仏」という対立があり、そのバランスが機能しているかぎり、ロシアにはまだ妥協する余地があったのである。

皮肉なことに、２０２２年２月のロシアによるウクライナ侵攻は、独仏をも英米側に押しやってしまった。プーチンにとっては、大きな誤算である。

ミンスク合意

ウクライナでは、親欧米派と親露派の対立が続いてきた。２０１０年に政権に就いた親露派のヤヌコーヴィチ大統領は、ロシアの圧力によって、２０１３年11月にＥＵとの協力協定への署名を取りやめた。

それに怒った親欧米派の市民が、キーウ（キエフ）中心にある「独立広場（マイダン）」などで反政府デモなどの抗議活動を繰り返し、大混乱になった。その結果、２０１４年２月にヤヌコーヴィチ大統領は国外に逃亡した。

これがマイダン革命であるが、親露派の多く住む東南部では、この動きを認めず、ロシアとの協力関係を重視してウクライナからの分離を求める人々が立ち上がった。

プーチンは、この親露派の動きを支援し、「分離独立派の希望に応えるため」に、３月にはクリミアを併合した。

こうして、親露派とウクライナ政府側（親欧米派）との間で武力闘争が行われる深刻な事態となっていった。クリミア、ドネツク、ルハンシク（ルガンスク）、オデーサ（オデッサ）、ザポリージャ（ザポロージエ）、ハルキウ（ハリコフ）、ドニプロペトロウシク（ドニプロペトロウスク）では親露派勢力が多く、NATOやEUではなく、ロシア主導の関税同盟への加盟を求める声が強かった。一方、西部、中部の親欧米派地域では親露派とは反対に、EUやNATOへの加盟を支持する人が多数だった。

ただ、ウクライナが分裂せずに一つの国家として存続すべきだという考えの人が、どの地域でも最も多かったことは記しておこう。

親露派陣営の過激派は暴力行為に訴え、ウクライナ政府側はそれに対抗するために軍隊を出動させた。3月、4月と対立抗争は激化し、ドンバス地域（ドネツク州とルハンシク州）では内戦の様相を呈し、ドンバス戦争とすら呼ばれたのである。

親露派の分離独立派は、4月7日にはドネツク人民共和国（DPR）を、4月27日にはルガンスク人民共和国（LPR）の樹立を宣言した。しかし、その後も、親露派の分離独立主義勢力とウクライナ政府軍との間で、激しい戦闘が続いていった。

図4　ドンバス地域と親露派による支配地域

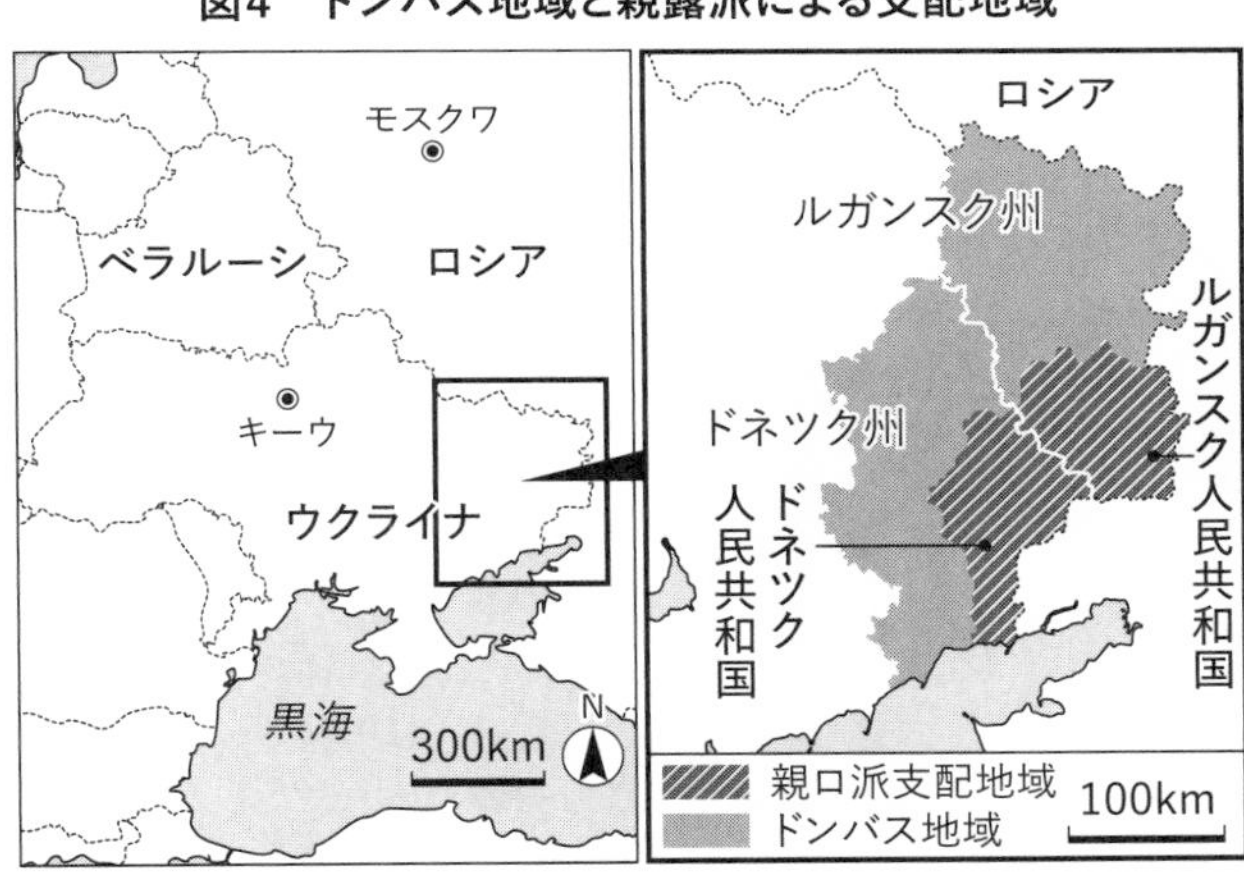

このような状況を危惧して、4月にウクライナ、アメリカ、ロシア、EUがジュネーブに集まり、ウクライナの違法な武装集団の武装解除、違法占拠した建物の返還などの措置をとることで合意した。そして、OSCE（欧州安全保障協力機構）の特別監視団が、その措置の実施を監督することになったが、内戦は収束しなかった。

ウクライナ、ロシア、OSCEに、ドネツク人民共和国、ルガンスク人民共和国の代表が加わり、7月31日、8月26日、9月1日、9月5日に会議が行われ、9月5日にベラルーシの首都ミンスクで議定書の調印に漕（こ）ぎ着けた。議定書は12項目からなり、即時停戦、

OSCEによる停戦監視、ドネツク・ルガンスクの地方分権の確保、ウクライナ・ロシア国境セキュリティゾーンの設置、捕虜の解放、ドンバスの人権状況の改善、違法な武装集団の解散などが決められた。

しかし、議定書調印後も停戦違反が続発し、さらに関係者で議論が続けられ、覚書が9月19日に調印された。国境線から15㎞内での重火器の撤去など、議定書の内容を具体化した。

ところが、その後も覚書が遵守されない状況が続き、OSCEの関与のみでは内戦を止めさせることは不可能なことが明白になった。そこで、2015年2月に、フランスとドイツが介入することを決めたのである。

アメリカは一方的にウクライナに武器援助をしようとしたが、ドイツやフランスは、アメリカの動きは事態の悪化を招くだけだと反発し、ロシアとの良好な関係の維持にも配慮したのである。

こうして、2015年2月12日に、独仏の仲介で、ウクライナとロシアの間で、「ミンスク合意履行のための措置パッケージ」(ミンスク2)が成立した。内容は、OSCE監視下での無条件の停戦、捕虜の解放、最前線からの重火器の撤退、東部2州に自治権を与えるための憲法改正などである。

問題は、ロシアが、自国は紛争当事国ではないので、この合意を履行する責任はないと主張していることである。ウクライナはロシアも交渉に参加した以上、履行義務があると反論している。

しかし、この合意の後も、ウクライナ政府と親露派武装勢力は、お互いに相手が停戦合意に違反する行為を実行していると非難し、親露派勢力とウクライナ政府の間で小競（こぜ）り合いが続いていった。つまり、事態の抜本的改善は見られなかったのである。

2022年2月21日、ロシアは、ルガンスク人民共和国とドネツク人民共和国の独立を承認し、翌22日には、プーチンは、「ミンスク合意はもはや存在しない」と述べた。そして、24日にはウクライナに侵攻したのである。

武力による威嚇、そして武力の行使を伴わない外交はロシアには通用しない。ブダペスト、ミンスクなどの覚書は、実効性を持たず、単なる紙切れに終わってしまった。

国際連合には存在意義があるのか

世界の平和と安全の維持に責任を持つ国際連合（United Nations）は、ウクライナ戦争を終結させることができていない。なぜなのか。

最大の問題は、拒否権を持つ常任理事国のロシアが、戦争の当事者であることである。ウクライナや支援国の西側の立場を反映した提案は、ロシアによって全て葬り去られる。中国もまた、ロシアの主張に賛同することが多い。少なくとも西側の主張には賛成しない。

これでは、国際平和の維持に責任を持つ安全保障理事会が機能するはずはない。国連の機能不全である。

国際連盟と国際連合

国連の前身は、第一次世界大戦後に設立された国際連盟（League of Nations）である。

戦後処理失敗の典型的事例として、第一次世界大戦後のヴェルサイユ条約をあげたが（66ページ）、国際組織として国際連盟という画期的な組織が設立されたことは忘れてはならない。史上初の国家連合組織で、国際平和を維持するために大きな役割が期待された。本部は、スイスのジュネーブに置かれた。

国際連合は、第二次世界大戦の戦勝国であるアメリカ、ソ連、イギリス、フランス、中国を中心にして、1945年10月に発足した。日本、ドイツ、イタリアなど、敗戦国（旧敵国）は排除された。まさに「戦勝国クラブ」である。主要な機関は、（1）総会、（2）安全保障理事会、（3）経済社会理事会、（4）信託統治理事会、（5）国際司法裁判所、（6）事務局、（7）難民高等弁務官（UNHCR）などの補助機関、（8）世界保健機関（WHO）や教育科学文化機関（UNESCO）などの専門機関である。

国際連合は、第二次世界大戦を阻止できなかった国際連盟の経験を念頭に、その反省の上に様々な改革を取り入れて成立したのである。

国際連盟は、アメリカ大統領のウッドロウ・ウイルソンが提唱して誕生した組織であるが、アメリカは、モンロー主義（孤立主義）の議会が反対し、参加しなかった。これがまず、この国際組織の弱点となった。

常任理事国はイギリス、フランス、イタリア、日本の4カ国であったが、日本は1933年3月に、イタリアは1937年12月に脱退した。ドイツは、1926年9月に加盟が認められたが、1933年10月に脱退した。

日本は1931年に満洲事変を起こし、国際連盟はリットン調査団の報告を基にそれを侵略行為と認定したために脱退した。イタリアは、1935年にエチオピアに侵攻し、それに対して国際連盟が経済制裁を科したので脱退した。ヒトラーは、国際連盟が決めたドイツへの軍備制限が他国に比べて重すぎるとして脱退した。ソ連は1934年に加盟するが、フィンランドを侵略したため1939年12月に除名された。

こうして、有力加盟国が脱退したため、国際連盟の平和維持機能は著しく低下し、無力化していったのである。

朝鮮戦争と安全保障理事会

国際連合は、最初からアメリカ、ソ連など5大国が参加し、1955年にはイタリア、1956年には日本、1973年には東西両ドイツも加盟している。現在は193カ国が加盟している。ほぼ世界中の国が参加していると言ってよい。

国際連盟は全会一致の原則であったため、一国でも反対すれば、決定できないという問題があった。そこで、国際連合では、多数決が原則となった。問題は安全保障理事会である。５つの常任理事国のみが拒否権を持つ仕組みは、ウクライナ戦争について明確なように、国連が何も決定できないという事態を生む。これまでも、常任理事国や非常任理事国を増やす提案がなされたことがあるが、現在の5常任理事国の拒否権については変更せず、新たな常任、非常任理事国には拒否権を認めないというものであった。


それでは、朝鮮戦争のときに国連安保理が機能したのはなぜか。高齢な独裁者スターリンの判断力が鈍り、ソ連が欠席していたからである。

１９５０年6月25日、北朝鮮は北緯38度線を越え、韓国に侵攻した。昨年のロシア軍のウクライナ侵攻と同じである。

アメリカは迅速に対応し、6月27日、国連安保理は緊急会議を開いた。当時の国連は、台湾にある国民党政権の中華民国を中国の代表としており、北京の共産党政権の中華人民共和国を排除していた。ソ連は、このことに抗議して、この年の1月から安保理をボイコットしていたのである。ソ連抜きの安保理は、北朝鮮を侵略者と認定して非難し、軍事行動の停止と撤退を求める決議を可決した。ソ連には拒否権があり、出席していたら、この決議案は通らなかったはずである。

国際連盟は紛争解決手段として経済制裁は行えたが、武力行使はできなかった。そのため、1931年に満洲事変を起こした日本、1933年に政権に就いたヒトラーの対外膨張政策、1935年のイタリアのエチオピア侵攻に効果的に対応することができなかった。

この反省から、国際連合は、経済制裁のみならず、武力行使も容認している。国連憲章第1章に定められた「国際の平和及び安全を維持すること」という目的を達成するため、国連は、停戦監視や復旧支援のための国連平和維持活動（PKO）を行う。カンボジア、ゴラン高原、イラクなどでは自衛隊も参加している。

武力行使については、国連憲章第7章「平和に対する脅威、平和の破壊及び侵略行為に関する行動」で細かく定められている。まず第41条で経済制裁などの非軍事的措置を定め、それが不十分なときは、第42条で軍事的措置をとることができるとしている。たとえば、1991年にクウェートにイラクが侵攻したときに、その権限が加盟国に与えられている。多国籍軍が出動するのも、この第42条を根拠にしている。安全保障理事会が許可することになっている。

したがって、常任理事国が拒否権を行使して安全保障理事会の意見が一致しなければ、国連による武力行使はできない。

ところが、２００３年3月、アメリカのブッシュ（子）政権は、イラクが大量破壊兵器を保持しているとして、軍事攻撃し、サダム・フセイン政権を打倒した。これは、国連安保理決議に基づくものではなく、イギリスなどが加わった「有志同盟」による「集団的自衛権の行使」としての軍事行動であった。

「大量破壊兵器の存在」は捏造であったことが判明しており、このイラク攻撃は、国際法上は問題である。当時、私は自衛隊派遣の準備のために、なお戦争が続いている危険なイラクに入り現地調査をしたが、「サダム・フセインが大量破壊兵器を保持していること」が嘘であることなど知る由もなかった。２００３年7月にイラク特措法が成立し、翌年1月には自衛隊が派遣されている。

大国の武力行使という横暴は今、ウクライナでも行われている。

第3章

第三次世界大戦、核戦争は起きるのか

ウクライナ戦争で危惧すべきは、ロシアが核兵器を使用することである。1945年8月に、広島、長崎にアメリカの原爆が投下されたが、その後も主要国で核兵器の開発が進められ、ソ連、イギリス、フランス、中国が核保有国になった。

核兵器による抑止力が米ソ間の戦争を阻止してきたが、1962年のキューバ危機では核戦争の危険性が高まった。その後、とくに米ソ冷戦終了後にはアメリカとソ連は核軍縮を進めていった。その結果、戦略核兵器のみならず、中距離核戦力（INF）の削減についても大きく前進した。

しかし、その間、新たにインド、パキスタン、イスラエル、北朝鮮が核兵器を保有した。

さらに、中国が米露の合意とは無関係にINFを進めたため、米露もINF全廃条約を失効させてしまった。

それに加えて、2022年2月のウクライナ戦争の勃発は、核軍縮の動きを逆行させようとしている。とくに中国が核兵器を急増させている。また北朝鮮も核ミサイル開発に拍車をかけている。

通常兵器の開発競争も進んでおり、ウクライナの戦場では最新兵器が使われている。また、サイバー攻撃も激しくなっており、情報戦、心理戦などを含めて「ハイブリッド戦争」と呼ばれている。

東アジアでは、北朝鮮の軍事的挑発、中国による台湾の武力統一など、戦争につながる可能性のある事態が想定される。第三次世界大戦も現実のものとなりかねない。さらには、北朝鮮も中国も核保有国であり、核戦争の危険性にも備えなければならない。

アメリカはなぜ日本に原子爆弾を落としたのか

ウクライナ戦争が続く中で、最も懸念されるのは、ロシアが核兵器を使用する可能性があることである。国土を防衛するためには、核兵器を使うことも辞さないというのがロシアの戦略である。ウクライナの反転攻勢に対して、ロシア側は戦術核兵器の使用を仄(ほの)めかせてウクライナやNATOを牽制している。

2023年7月30日、ロシアの前大統領のメドベージェフ安全保障会議副議長は、ウクライナ戦争の展開について言及し、「仮にロシアの土地の一部が奪い取られる事態となれば、ロシア大統領令の規定にしたがって核兵器を使用することになる。その他の選択肢はなくなる」と明言した。

ロシアの核戦略ドクトリンによれば、通常兵器による攻撃であっても、ロシア国家の存続が脅かされるならば、核兵器による反撃が認められているのである。

クリミア半島は2014年にロシアが併合しており、ウクライナが奪還を試みているが、それを牽制した発言である。

核戦争になれば、広島や長崎の原爆投下の被害を見ればわかるように、人類滅亡への引き金となってしまう。

マンハッタン計画

核兵器が不在だった１９４５年夏以前と核兵器が存在するそれ以降とでは、軍事戦略が根本的に異なり、国際政治のあり方も大きな変容を遂げている。

戦争の勝敗を分ける大きな要素は、兵器の質と量である。ウクライナ戦争では、西側から最新鋭の武器を供与されたウクライナが反撃している。ソ連時代の旧式の武器では対抗できないほどの性能を誇る兵器である。

第二次世界大戦中の交戦国は新兵器の開発にも余念がなかった。原子爆弾がそうである。20世紀になって、アインシュタインらによって原子物理学が進歩し、１９３８年にドイツのオットー・ハーンとフリッツ・シュトラースマンが核分裂を発見した。この核分裂を利用した兵器の開発が原子爆弾を生むのである。ヨーロッパではヒトラーがユダヤ人を迫害したため、優秀なユダヤ系の物理学者がアメリカに亡命した。ナチスの反ユダヤ主義は、アインシュタインをはじめとする学者をドイツから奪うという皮肉な結果となった。

アインシュタイン（実際はレオ・シラードが書いた書簡にアインシュタインが署名）は、１９３９年８月２日、フランクリン・ローズヴェルト大統領に手紙を書き、原子力を利用すれば強力な新型爆弾が開発できる可能性を示唆した。アメリカは、核兵器の開発でドイツに先を越されるのを恐れて、１９４２年、原爆開発のため「マンハッタン計画」を始動させた。科学者のリーダーには、ロバート・オッペンハイマーが選ばれた。原爆開発チームは、ロスアラモス国立研究所で研究開発を続け、１９４５年７月16日、ニューメキシコ州で世界初の核実験（トリニティ実験）に成功する。そして、直後の８月６日に広島に、９日に長崎に原子爆弾が投下されたのである。

２０２３年夏に、オッペンハイマーの半生を描いた映画『オッペンハイマー』がアメリカで公開され、大ヒットした。

アメリカでは、広島、長崎への原爆投下が、日本を無条件降伏へと導き、戦争の早期終結をもたらしたとして評価する声もあるが、１９４５年末までに、広島で約14万人、長崎で約７万４０００人が死亡している。原子爆弾の破壊力のすごさを認識させる数字である。

ヤルタ会談

第二次世界大戦のヨーロッパ戦線では、1945年になって連合国側の勝利が確定的になったため、アメリカ、イギリス、ソ連は、2月4日にクリミア半島の保養地ヤルタで首脳会談を行った。会談は、チャーチル、ローズヴェルト、スターリンが参加して11日まで行われ、戦後処理について様々な点で合意に達した。

ドイツについては、(1)分割占領すること、(2)賠償を科すこと、(3)フランスがドイツ占領に参加することなどを決め、また、国際連合を設立することも決定した。

さらにヤルタ合意には秘密協定が含まれており、ドイツ降伏後に、ソ連が日本に対する戦争に参加することが決められた。その参加の条件には、サハリン(樺太(からふと))南部のソ連への返還、千島列島の引き渡しが含まれていた。千島列島にどの島が含まれるかは、ソ連と日本で解釈が異なっており、それが今日の北方領土問題となっている。

ヤルタ会談の後、4月12日に、ローズヴェルト大統領は死去し、副大統領のトルーマンが後を継いだ。

図5　北方領土問題とは

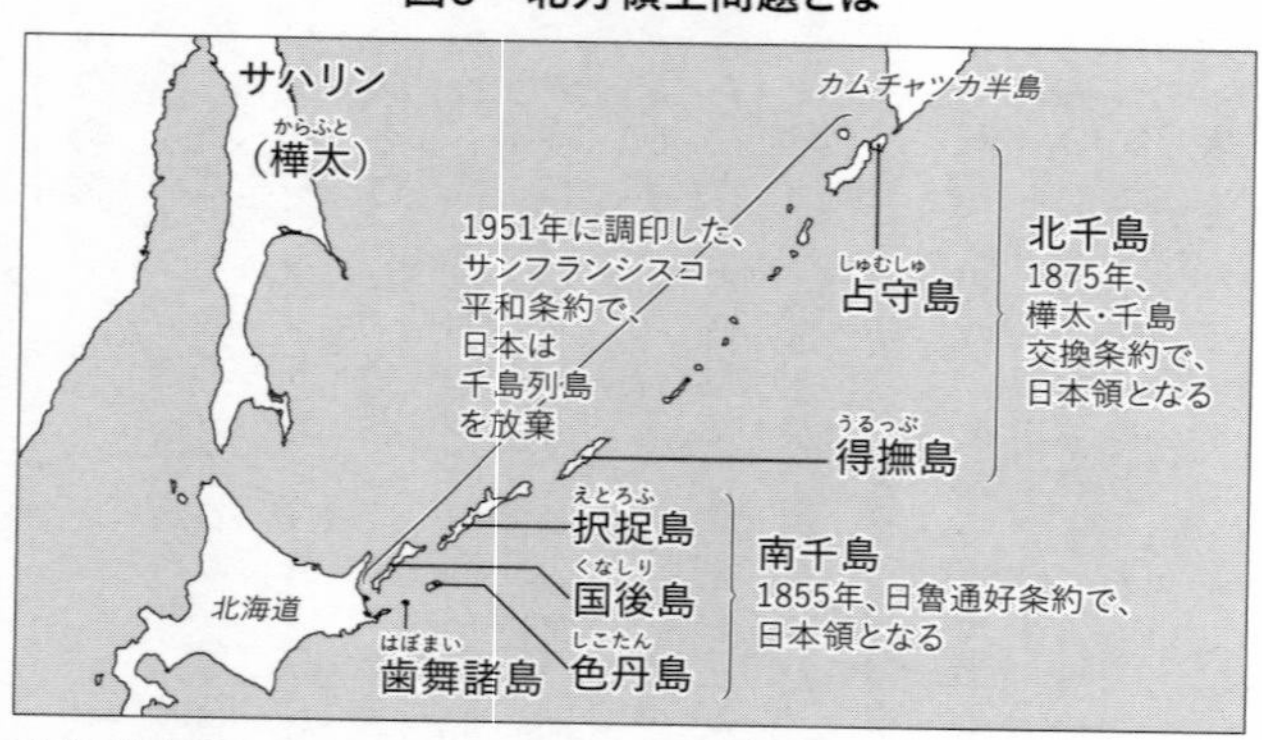

出典：外務省ホームページの情報を基に、SBクリエイティブ株式会社が作成

英米よりも前にベルリンに到達するべきだと考えたスターリンは、赤軍に命令して4月16日にはベルリン攻撃を開始させ、4月25日にはベルリンを包囲した。

4月30日、赤軍は国会議事堂を陥落させ、ヒトラーは総統地下壕で自殺した。5月2日にドイツ軍は降伏し、5月7日にドイツ軍は、連合軍との間で無条件降伏文書に署名した。

このようにヨーロッパ戦線は連合国の勝利で終わったが、太平洋戦争はまだ続いていた。

スターリンは、ヤルタでの密約にしたがって対日参戦準備を進め、4月5日には、ソ連は日ソ中立条約の不延長を日本に通告した。

ポツダム会談

7月17日、スターリン、チャーチル、トルーマンは、戦後処理問題の協議のため、ベルリン郊外のポツダムで会談した。会議は8月2日まで続くが、イギリスは選挙の結果、7月26日から首相が労働党党首のクレメント・アトリーに交代した。

日本に対しては7月26日、無条件降伏を勧告するポツダム宣言が発出された。ソ連は、日ソ中立条約で日本とは戦争状態にないために加わらず、宣言には中国が参加した。

太平洋戦争で日本と継戦中のアメリカは、ソ連が対日戦に参加してくれることを希望していた。ところが前述したように、7月16日にアメリカはニューメキシコ州で原子爆弾の実験に成功し、それがトルーマンに伝えられた。

トルーマンは、原爆を使えば、ソ連の助けなしに日本を屈服させることができると考えるようになった。7月24日に、トルーマンはスターリンに「新型爆弾」が完成したと伝えたが、スターリンは驚いた様子もなく、あまり関心を示さなかった。ソ連の助けなしにアメリカが日本を打ちのめすことができるという重要な意味を持つ話であるにもかかわらず、スターリンは「自分の知らされていることの重大な意義をまるでわかっていないと、私は確信した」と、近くで二人の会話を聞いていたチャーチルは回想している（『第二次世界大戦4』W・S・チャーチル著、佐藤亮一訳、河出文庫、1984年、p440）。

スターリンは、独自のスパイ網を駆使してアメリカのマンハッタン計画についての情報を既に得ていたので、トルーマンの話に驚かなかったという解釈もある。

日本は7月12日に和平の仲介をソ連に依頼する方針を決めたが、暗号解読によって、アメリカはその情報をすぐに入手した。トルーマンは、この和平工作が実現する前に日本に無条件降伏を突きつけることが必要と判断して、26日にポツダム宣言を発表したのだ。

アメリカ政府内には、原爆を投下しなくても天皇制護持など降伏条件の緩和によって日本の降伏は可能であるという穏健派もいた。しかし、トルーマンは、降伏条件を緩和せずに原爆投下で無条件降伏を迫るべきだという強硬派の意見に従ったのである。

戦後はソ連と世界の覇権を争うようになることは明らかであり、ソ連の力を借りずに日本を降伏させることが、戦後のアメリカの立場を強固にするという冷徹な計算がトルーマンにはあった。こういう判断から、トルーマンは、8月6日に広島に、9日に長崎に原子爆弾を投下したのである。

スターリンは、戦後構想を巡って英米の首脳と会談して、彼らがソ連に対して警戒感と不信感を抱いていることを熟知していた。そこで、広島への原爆投下の報に接すると、スターリンは、赤軍に対して直ちに日本を攻撃する命令を出し、8月9日にそれが実行に移された。

赤軍は満洲、樺太に攻め込むが、日ソ中立条約の破棄という事態を関東軍首脳は全く想定しておらず、準備もしていなかった。

赤軍は圧倒的武力で日本軍を制圧し、8月15日には、大本営の停戦命令を受けて、日本軍は降伏した。しかし、赤軍は戦闘を止めず、樺太を占領し、8月18日以降には千島列島にも戦端を広げ、択捉島（えとろふ）、国後島（くなしり）、歯舞諸島（はぼまい）、色丹島（しこたん）まで占領した。9月2日には、東京湾上の戦艦「ミズーリ」で、ソ連も参加して降伏文書が調印されたにもかかわらず、赤軍が武器を置いたのは9月4日であった。

スターリンは、ドイツと同様に日本も分割統治しようと目論み、北海道侵攻を計画したが、8月18日、トルーマンはそれを断固として拒否した。その結果、日本国の一体性が保たれたのである。

いかにして世界の国々は原子爆弾を保有するようになったか

アメリカが原子爆弾の実験に成功すると、スターリンは、1945年8月20日に、側近で政敵の粛清に辣腕（らつわん）を振るったベリヤを長とする特別チームに原爆開発を命じた。このチームは、あらゆる資源を動員してスターリンの指示を実行し、遂に1949年8月29日午前4時にカザフスタンのセミパラチンスクの実験場で原爆の開発に成功した。

ソ連の核実験成功を受けて、イギリスも、1950年にイングランド南部のオルダーマストンに原子力兵器研究所を開設し、アメリカの技術支援を受けて核兵器の開発を進めた。そして、1952年10月3日にオーストラリア近海のモンテベロ諸島で核実験を行った。

アメリカ、ソ連、イギリスが核兵器を保有するに至り、フランスも核開発を加速化させた。ド・ゴール大統領は、1959年11月10日の記者会見で、「米・英・ソ三国がすでに核兵器をもちながら、フランスがそれを保有するのをやめるよう希望するのなら、フランスはこれを受けいれることはできない」と述べた（『ドゴールの言葉』嬉野満洲雄著、日本国際問題研究所、1964年、p72）。

そして、フランスは、1960年2月13日、仏領アルジェリアのサハラ砂漠にあるレガーヌ実験場で核実験を行った。

毛沢東はソ連から原子爆弾の製造技術を入手して軍事大国となる道を模索したが、スターリンはそれを拒否した。スターリンは1953年3月に死去し、フルシチョフ時代に移行する。

1958年8月に中国は金門島を攻撃し、アメリカとの対立が激化する。これは、原爆技術移転をソ連に求めるための賭けであった。1959年9月下旬～10月上旬にかけて、フルシチョフが訪中し、多額の援助を約束する。スターリンであったら、配下の国に自ら行くなど想像すらできないことである。

スターリン後継のフルシチョフは、軍事技術の技術移転に関しては、スターリンほどの猜疑心（さいぎしん）を持たず、毛沢東の希望の多くを実現させるという甘い点があった。

核開発に関しても、原子炉建設までは、渋々フルシチョフは認めたのである。そして、1955年1月に江西省でウラン鉱床が発見されたこともあって、毛沢東は自力で原爆開発に取り組んだ。1956年10月には、ハンガリーで反ソ連の動乱が起こるが、毛沢東はソ連支持とバーターで原爆製造技術を要求する。フルシチョフはこれを容（い）れたため、中国は原爆開発を加速化させた。しかし、中国の態度に不信感を抱いたフルシチョフは、1959年6月には原爆関連の支援を中止している。1960年には中ソ対立が始まるが、中国は独自に核開発を進め、遂に1964年10月16日に原爆実験に成功した。

このように、原爆開発競争の結果、アメリカ、ソ連、イギリス、フランス、中国が核保有国となったのである。その後も、インド、パキスタン、イスラエル、北朝鮮が核開発に乗り出し、核保有国となっている。

相互確証破壊（MAD）

核兵器を保有すると、「敵が核兵器を使って攻撃してくれれば、こちらも核兵器で報復す

図6　核兵器保有数の推移(1945～2022年)

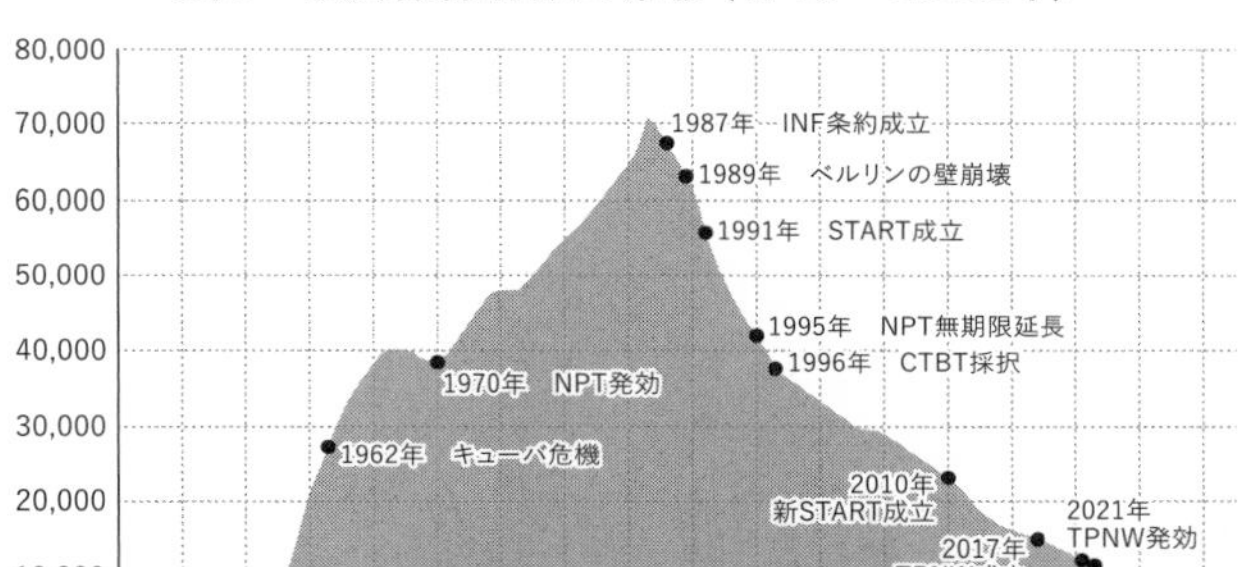

出典：Bulletin of the Automic Scientists、ストックホルム国際平和研究所(SIPRI)年鑑を基にSBクリエイティブ株式会社が作成

る」という主張が可能になる。だから、核兵器を保有しようとする政治指導者が出てくるのである。独裁者であるスターリン、毛沢東、金日成・金正日(キムジョンイル)・金正恩(キムジョンウン)は、その典型例である。

核兵器を持つことが抑止力になるという考え方を理論化したものが、「相互確証破壊(MAD：Mutually assured destruction)」である。アメリカのジョンソン政権のマクナマラ国防長官が、1965年にこの理論を主張した。具体的には、「ソ連がアメリカを核攻撃した場合に、アメリカは残された核兵器で相手に報復し、耐えがたい損害を与える。アメリカが先制攻撃をした場合も、ソ連は同様の対応をとる。したがって、米ソの間では、先制核攻撃を抑止することができる」というものである。

このMADが成立するには、攻撃されても一部の核兵器が残るくらい多くの数の核兵器が必要であり、その条件が整ったのは1970年代になってからである。この理論に基づく「恐怖の均衡」によって、米ソ間で核戦争は起こらず、1989年のベルリンの壁崩壊、つまり東西冷戦の終了を迎えたのである。

ストックホルム国際平和研究所によると、2023年1月現在の世界の核兵器の数は、アメリカ5244、ロシアが5889、イギリスが225、フランスが290、中国が410、インドが164、パキスタンが170、イスラエルが90、北朝鮮が30である。

この数字を見ると、核兵器数がほぼ同じ水準のアメリカとロシアの間で、またインドとパキスタンの間で、MADが成立していることがよくわかる。

キューバ危機

第2章で、ロシアのウクライナ侵攻の背景の一つとして、東西冷戦後に東欧諸国が

NATOに加盟するという事態、つまりNATOの東方拡大があることを説明した。

今やロシアとNATOの間にある中級国家はベラルーシとウクライナのみであり、プーチンは、この2国まで敵陣に追いやるわけにはいかないと考えた。

一方で、アメリカは、主権国家がどのような同盟に参加しようが、それは自由であるべきだという立場を堅持する。しかし、ロシアの隣国が敵陣のNATOに加盟し、そこにアメリカのミサイルや核兵器が配備されることは安全保障上、許容できないとプーチンは主張する。


さらに参考になるのが、1962年のキューバ危機である。ソ連は、1957年10月4日に世界初の人工衛星「スプートニク」の打ち上げに成功し、アメリカにショックを与えた。1959年には、フルシチョフは、ソ連の指導者として初めてアメリカを訪問し、アイゼンハウアー大統領と首脳会談を行い、雪解けムードを醸成した。

キューバでは1959年にカストロが革命を起こし、社会主義体制へ移行し、資本主義国のアメリカと敵対することになった。そこでカストロはソ連に接近したが、ソ連の指導者フルシチョフはキューバに核ミサイル基地を建設することにした。アメリカ本土を核攻撃することを可能にするためである。

アメリカは、1962年10月14日、キューバにミサイルの発射台が建設中であることを偵察機で確認し、ケネディ大統領は、核兵器の搬入を阻止するために、10月22日、キューバを海上封鎖した。米空軍機には核兵器が搭載された。

建設機材と兵器を積んだソ連の艦船は、潜水艦の護衛を受けながらキューバに向かっており、アメリカの海上封鎖を突破しようとすれば、米ソ間で核戦争になる危険性が高まる。

10月26日、フルシチョフは、アメリカがキューバを攻撃しないと約束すれば核ミサイルを撤去すると提案し、ケネディはこれを容れて、核戦争の危機は回避されたのである。ケネディ大統領の弟ロバート・ケネディ司法長官の回顧録『13日間　キューバ危機回顧録』（中公文庫）や、ケビン・コスナー主演の映画『13デイズ』に緊迫するキューバ危機の状況が描かれている。一歩間違えば、核戦争に至る危機的状態であったが、自分の庭先に敵の核兵器が配備されるのは安全保障上許せないとして、ケネディは瀬戸際策を講じたのである。最終的には、ソ連が妥協し、基地建設を止めて問題が解決した。

今回のウクライナ危機では、アメリカとロシアの位置が逆転している。ロシアの庭先、ウクライナがNATOに加盟し、そこにアメリカの核兵器が配備されれば、数分でモスクワを核攻撃できるようになる。そこでロシアは2022年2月のウクライナ侵攻前に、国境地帯に部隊を集結させ演習を行い、圧力を行使してウクライナに翻意を促したのである。

プーチンは、この圧力行使は1962年にケネディが行った措置と同じと主張する。そこで、今回はアメリカがロシアの主張を容れるべきだという。しかし事態はプーチンの望むようにはならず、2022年2月24日、ウクライナにロシア軍を侵攻させたのである。

各国は「核軍縮」にどう取り組んできたか

核戦争の瀬戸際にまで行ったキューバ危機の後、米ソ両国は緊張緩和（デタント）を模索し、両国間のホットラインも設置した。

また、1963年8月には、アメリカ、ソ連、イギリスの3カ国は部分的核実験停止条約（PTBT：Partial Test Ban Treaty）を締結した。これにより大気圏内外と水中での核実験が禁止された。しかし、地下実験は対象外であった。

核兵器はその後も増産され、111ページの図が示すように、東西冷戦が終わるまでは、核軍拡が続いた。

核軍縮の取り組みの一つとして核拡散防止条約（NPT）があるが、これは5大国による核兵器の独占体制を守ろうとするものだという批判もある。

SALTとSTART

米ソの間では、戦略核兵器の制限交渉が1969年に始まり、1972年に合意に達したが、これを戦略兵器制限条約（SALT・Ⅰ）交渉と呼ぶ。保有する戦略核兵器の数量に上限を設ける試みである。ICBM発射基の上限をアメリカ１０５４基、ソ連１６１８基とするもので、ニクソン大統領がモスクワでブレジネフ書記長と会談して合意し、１９７２年5月26日に条約となった。その有効期限は5年であった。

そして、細目を定めるため、第二次の戦略兵器制限条約（SALT・Ⅱ）交渉が始まった。１９７９年6月にカーター大統領とブレジネフ書記長との間で合意に達し、条約化されたが、その年の12月にソ連軍がアフガニスタンに侵攻したため、米ソ関係は悪化し、条約も批准されなかった。

１９８2年、レーガン大統領の下でソ連との間で戦略兵器削減条約（START）交渉が行われた。これは、東西冷戦終了後の１９９１年に合意に達した。そして、すぐに第二次の削減条約（START・Ⅱ）交渉が開始され、これは１９９3年に合意した。

本格的な核軍縮は東西冷戦末期からである。転機は、ソ連で１９８5年3月にゴルバチョフ政権が誕生したことである。

ＩＮＦ全廃条約

ゴルバチョフは、１９８５年11月、ジュネーブでロナルド・レーガン大統領と米ソ首脳会談を行い、核軍縮交渉の加速化などで合意した。１９８６年にはアイスランドのレイキャビクで米ソ首脳会談が行われ、翌年の12月にはワシントンで、中距離核戦力（ＩＮＦ）全廃条約が締結された。

ＩＮＦとは、ICBM のような戦略核兵器と短距離の戦術核との間に位置する射程が中距離の核兵器で、戦域核とも呼ばれる。ソ連はＩＮＦのSS20を配備したため、西側のヨーロッパ諸国には大きな脅威となった。そこで、NATO も対抗して、巡航ミサイルとＩＮＦのパーシングⅡを配備して対抗した。それを全廃する決断が下されたのである。２００１年には全廃完了が確認された。

ソ連邦解体後、帝国の復活を狙うプーチンはＩＮＦ条約による規制を無視して軍拡路線に乗り出した。２０１７年に政権に就いたトランプ大統領は、中国がＩＮＦ条約に縛られずにＩＮＦを開発していることを問題視した。そして、ＩＮＦ条約破棄を決め、ロシアもそれに同意し、２０１９年8月2日にＩＮＦ条約は失効した。

包括的核実験禁止条約

１９８９年11月にベルリンの壁が崩壊する。１９９０年10月に東西ドイツが統一した。１９９１年12月にはソ連邦が解体した。そのような流れの中で、STARTが成立したことは前述したが、１９９６年9月10日には、核実験の全面的禁止を定めた包括的核実験禁止条約（CTBT：Comprehensive Nuclear Test Ban Treaty）が国連総会で採決された。PTBTが地下核実験を除外していたので、その抜け道を塞ぐことが目的であった。この条約の発効には特定の44カ国全ての批准が必要であり、アメリカや中国やインドなど8カ国が批准していないため、まだ発効していない。

ロシアは、２０００年に批准したが、ウクライナ戦争によるアメリカとの対立から、２０２３年10月18日、ロシア下院はCTBT批准を撤回する法案を可決した。その後、上院でも可決され、プーチン大統領が署名して成立し、批准が撤回された。ロシアが核実験に踏み切る可能性が増している。

オバマ大統領は「核なき世界」を目指し、２０１０年4月、ロシアとの間で新START

に署名し、両国の議会で12月までに批准が完了した。その内容は、2017年までに核弾頭は双方の上限を1550発とすること、ICBM、SLBM、戦略爆撃機はそれぞれ800まで削減することを決めた。

この新STARTは、期限切れ直前の2021年2月3日に、2026年2月まで5年間延長することで、バイデン大統領とプーチン大統領の間で合意した。INF条約が失効した状況で、これのみが米露間に残る唯一の軍縮条約となった。

核兵器廃絶への動きとして、2017年7月、核兵器禁止条約（TPNW）が国連で122カ国が賛成して採択された。2020年10月24日には50カ国が批准し、2021年1月22日に発効した。

日本政府は、「核保有国がすぐに核兵器を手放すわけはない。覇権主義的な動きを強める中国や、核・ミサイル開発を続ける北朝鮮など、日本をとりまく安全保障環境は厳しく、アメリカの核抑止力に頼らざるを得ない」として、この条約に参加していない。

ウクライナ戦争と核軍拡

ウクライナ侵攻から1年後の2023年2月21日、プーチンは議会演説で、新STARTの履行停止を発表した。条約から脱退したわけではないと言うが、ロシアは、核軍拡を示唆して、ウクライナへの武器支援を継続するアメリカをはじめとするNATOを牽制したのである。ウクライナ戦争は、核軍縮の行方にも暗い影を投げかけている。

米ソ冷戦後、両国のみならず、その他の国も含めた世界にある核兵器の数は着実に減少してきた。しかし、ウクライナ戦争が勃発し、ロシアが核兵器の使用も仄めかす中で、この核軍縮が今後とも続くかどうかは不明である。

第5章で後述するが、中国は台湾を武力統一するという選択肢を捨てていない。その武力統一をアメリカが阻止しようとするならば、中国は核兵器使用という牽制球を投げるであろう。中国が核軍拡をすれば、国境紛争をかかえる隣国インドも同じ措置をとるであろう。そして、そのインドと対立するパキスタンも同様である。こうして、核軍拡が進むことになる。それは、北朝鮮やイランの核兵器開発にも拍車をかけることになる。

東西冷戦の終焉以来、核軍縮は進行してきたが、通常兵器の開発は日進月歩の勢いである。ウクライナ戦争でも、最新鋭の西側の兵器がウクライナに供与されている。たとえば、スティンガー地対空ミサイル、パトリオット、１５５㎜自走榴弾砲、各種の戦車や装甲車、ハイマース精密誘導ロケット、ジャベリン対戦車ミサイル、ストームシャドー巡航ミサイル、Ｆ16戦闘機、ドローンなどである。

これらの兵器は、ロシアの兵器よりも性能が優れたものが多く、それがウクライナの反転攻勢を支えている。最初は高性能、長射程の武器を供与することを躊躇していたNATOも、次第に戦車、戦闘機、長射程ミサイルへと、兵器を高度化している。長射程の武器を渡すと、ロシア領土に到達することになり、NATOとロシアの戦争へと拡大する恐れがある。しかし、その自己規制も緩和されている。

核兵器は使用されなくても、高性能の通常兵器で多数の死傷者、建物やインフラの破壊といった被害が生じている。軍縮の時代は過ぎ去ったようである。

ハイブリッド戦争とは何か

通常兵器の高度化とともに、兵器以外にもサイバー攻撃、心理戦などの手段も総動員するハイブリッド戦争と呼ばれる事態も、今回のウクライナ戦争の特色である。

相手の国を攻撃し、征服しようとするとき、外交、経済的締め付け、プロパガンダ、サイバー攻撃、テロなどと正規軍による戦闘を組み合わせて戦う手法を「ハイブリッド戦争」という。古代から戦争はそのようなものであったが、最近は、この用語が流行している。それは、コンピューターの発達で、サイバー攻撃が注目されるようになったからである。

たとえば、電力会社のコンピューターにハッカーが侵入し、電力供給を停止させれば、社会機能が失われる。その状況で、軍事力を使って攻撃すれば、大きな勝利を得ることができる。このように「非正規戦と正規戦の組み合わせ」で戦争を遂行することを、ハイブリッド戦争と呼ぶ。

そこで、国を防衛するためには、サイバー攻撃への対処が必要となっている。社会インフラを守るためには、敵からのサイバー攻撃を撃退せねばならないのであり、毎日のように、凄まじいサイバー戦が繰り広げられている。

このハイブリッド戦争が注目されたのは、2014年3月のロシアによるクリミア併合である。併合の前、ロシアは民間人を装った特殊部隊をクリミアに潜入させ、通信網を遮断したり、停電を起こしたり、携帯電話を通話不能にしたり、嘘の情報をSNSに流したりして、クリミアを混乱に陥れた。このようなサイバー攻撃によって、ウクライナ軍が抵抗できないままに、ロシアによるクリミア併合が実行されたのである。このウクライナ併合以来、ハイブリッド戦争という言葉が広く流布されるようになった。

ロシア系住民が多いクリミアで住民投票を使い、まず独立国とさせ、その上で併合させるという政治工作もまた、ハイブリッド戦争の一端だと見てもよい。

さらには、ワグネルのような民間の軍事会社を活用することもハイブリッド戦争の一要素だと考えられている。ワグネルは、2014~2015年にはウクライナのドネツク、ルガンスクで親露派勢力を支援したし、2022年に始まったウクライナ戦争においては、指導者プリゴジンの名とともに、その活動が注目された。

クリミア併合の経験から、ウクライナは、その後、軍事力の近代化と兵員の訓練のみならず、サイバー攻撃への対応手段を整備していったのである。それが、2022年のロシア軍による侵攻に対処するに当たって、大いに役立っている。

たとえば、今回のウクライナのウクライナ戦争では、電力会社などにロシアからサイバー攻撃が仕掛けられたが、ウクライナのサイバーセキュリティのレベルが高く、排除することに成功している。これが、ロシアが苦戦している背景にある。

ウクライナに対しては、マイクロソフトやアマゾンがサイバー攻撃から守るために、クラウドを提供して、データ移行を助けた。また、イーロン・マスクはスペースXの衛星通信網「スターリンク」を提供し、インターネット通信の維持を可能にした。

西側のＩＴ企業によるこのような支援も、NATOからの武器援助と並んで、ウクライナの戦争継続に大きな貢献をしている。これもハイブリッド戦争時代の象徴である。

これからは、サイバー戦争への備えがますます重要になってくるだろう。

北朝鮮はなぜ頻繁にミサイルを発射するのか

北朝鮮の指導者、金正恩は、核ミサイル開発に全力をあげている。ウクライナにロシアが侵攻したのを見て、もしウクライナがソ連時代のように核兵器を保有したままだったら、ロシアも侵略を躊躇したはずだと、金正恩は考えたようである。北朝鮮が、韓国やアメリカから攻撃されないためには、核兵器の保有しかないと確信している。

2023年9月9日、北朝鮮は建国75年の記念日を迎えた。これに先立つ9月6日には、金正恩出席の下、戦術核攻撃潜水艦の進水式が行われた。SLBMを3発搭載できるという。演説した金正恩は、「核を大量に搭載し、先制・報復打撃ができる。海軍の核心的な水中攻撃手段だ」と述べた。そして、原子力潜水艦の開発も加速化させる意向を示した。

戦略核戦力のトライアド（3本柱）とは、①ICBM（大陸間弾道弾）、②SLBM（潜水艦発射弾道ミサイル）、③戦略爆撃機である。これらの兵器は、要するに核兵器の運搬手段である。北朝鮮は、①と②を保有し、核兵器の開発も進めている。③についてはソ連製の旧式のものであり、西側には太刀打ちできない。

潜水艦は海に潜行しているときには探知が難しく、敵に気づかれないで、海中から核兵器を発射できる利点がある。今回進水した潜水艦が、直ちに実戦に使えるかどうかは疑問であるが、日米韓にとっては、また一つ脅威が増したことになる。

金正恩が最も恐れているのは、アメリカのB1爆撃機である。アメリカと韓国が共同軍事演習を行うときに、B1爆撃機と戦闘機の編隊を誇示するのは、北朝鮮の最も恐れる攻撃手段を見せつけるためである。

2020年来、北朝鮮は異常な頻度でミサイル発射を繰り返している。射程も、短距離、中距離は言うまでもなく、「火星17」、「火星18」のように、アメリカ本土に到達するような長距離のICBMまで発射している。北朝鮮は、このような大型でMIRV（マーヴ）（複数の核弾頭を装備し、それぞれの弾頭を別々の目標に送達するシステム）化されたICBMから、小型化・軽量化されて取り扱いやすい戦術核まで多様な核メニューを揃（そろ）えようとしている。金正恩は、1日で20発以上のミサイルを多方向に発射する能力を誇示しているのである。

北朝鮮が頻繁にミサイル発射実験を行っているのは、国際社会がウクライナ戦争への対応に追われており、即座の対処ができないことを見越しているからである。

国連決議に違反してミサイル実験を繰り返す北朝鮮に対して、制裁を強化するアメリカの国連安保理決議案は、13カ国が賛成したものの、中国とロシアが拒否権を行使したため、２０２２年5月26日に否決された。２０１７年のときは、中国もロシアも北朝鮮のミサイル実験を批判したが、今回はそのような態度を示さなかったのである。

第2章で国連の機能不全を指摘したが、金正恩はウクライナ戦争がもたらした対立図式を上手く利用しているのである。

「金王朝」と核武装

北朝鮮創立者の金日成は、アメリカの攻撃から自国を守るには核武装しかないという確信を持って、核兵器やその運搬手段であるミサイルの開発をスタートさせた。もしアメリカが平壌（ピョンヤン）を攻撃してくれば、北朝鮮はニューヨークやサンフランシスコを核攻撃するという政策である。これが実現すれば、大きな抑止力としてアメリカの攻撃意欲を鈍らせるというわけである。

その路線は、息子の金正日、孫の金正恩にも引き継がれ、今日までに北朝鮮の核ミサイル開発は長足の進歩を遂げてきた。アメリカの同盟国である日本や韓国は、既に北朝鮮の核ミサイルの射程圏内に入っており、大きな脅威となっている。

金正恩にとって最優先の課題は、「金王朝」、つまり独裁体制の維持であり、その道具として核ミサイルを開発しているのである。金正恩は、アメリカを交渉の場につかせるには、アメリカ本土を核攻撃できる能力を持つことしかないと確信している。そして、核ミサイル開発の成果を武器にしてアメリカと交渉し、経済制裁の緩和・解除を勝ち取ろうとしている。

北朝鮮は、核ミサイル開発のために巨額の予算をつぎ込んでおり、社会福祉などに回すお金はなくなっている。北朝鮮の独裁者にとっては、国民が飢えようが構わないのである。金日成は「肉入りスープと瓦葺き(かわらぶ)きの家」を国民に与えるのが夢だと語ったが、今のように核ミサイルの開発に狂奔していれば、その夢は容易には実現しないであろう。

ソ連時代のウクライナは核大国であったが、前述したように、ソ連邦崩壊後の1994年12月5日に署名された「ブダペスト覚書」によって、ベラルーシ、カザフスタンと共に非核化された。非核化された国々では核関連の技術者や科学者が失職したが、次のような情報もある。

北朝鮮はアメリカの2倍の給料でウクライナやロシアなどの専門家約50人を雇った。そのおかげで、北朝鮮の核開発が急速に進んだのである。2017年に北朝鮮がミサイルのモーターとして開発した「白頭山エンジン」は、ウクライナ国営企業が1960年代に開発したRD250型エンジンに酷似している。2017年に実験が成功した射程5000kmの「火星12」は白頭山エンジンを搭載しているのである。

ミサイルのみならず、2007年には、北朝鮮は、ウクライナから2隻の潜水艦を購入し、クリミアのセバストポリ軍港から分解して自国に運んでいる。この潜水艦がSLBMの発射に使われるのである。

北朝鮮とウクライナの軍事協力は、ソ連崩壊直後から続いており、それが北朝鮮の核ミサイル開発に大きく寄与してきた。

プーチン・金正恩会談

金正恩は、2023年9月13日、ロシア極東のアムール州ボストーチヌイにある宇宙基地を訪ね、プーチン大統領と首脳会談を行った。会談の前に、両首脳は基地を視察した。

金正恩のロシア訪問は、2019年4月以来、4年ぶりであり、プーチンとの会談は2

回目であった。

ウクライナ戦争で、ソ連は武器弾薬の不足に悩んでいる。そこで、ソ連式の兵器で統一されている北朝鮮に弾薬の提供を期待しているという。

北朝鮮は、ウクライナ戦争に関して、一貫してロシアを支持してきた。その点をクレムリンは評価し、国際的孤立が目立つ中で、ロシアを支援する仲間がいることを世界に誇示する機会として、金正恩をロシアに招いたと考えられる。

一方、金正恩のほうは、武器支援の見返りとして、困窮する国内経済に対処するために食糧支援などを求めた可能性もある。しかし、金正恩にとっては、国民の生活よりも核ミサイル開発のほうが重要なのである。極論すれば、何十万人餓死しようが、痛くもかゆくもない。核抑止力を保有して、アメリカからの攻撃を避け、金王朝独裁体制を維持することが最重要課題なのである。

それが、ロシアの最新軍事技術を求めている理由である。北朝鮮は、2023年の5月と8月には、軍事偵察衛星の打ち上げに失敗した。その失敗を克服するにはロシアの支援が必要である。それが、ロシアの宇宙基地を訪問した理由である。

プーチンは、金正恩を大歓迎し、宇宙技術などの供与を約束したと見られている。ミサイル関連技術がロシアから北朝鮮に移転され、それが活用されると、軍事偵察衛星の開発が成功する可能性が増える。そうなると、日本や韓国、そしてアメリカにとって、北朝鮮の軍事的脅威が増大することになる。

実際に、11月には北朝鮮は軍事偵察衛星の打ち上げに成功したが、それはロシアの技術支援があったからだという。

弾道ミサイル技術を使った衛星の発射は国連安保理決議に違反するが、ロシアも北朝鮮も、その点は無視して開発を続けるであろう。

ウクライナ戦争については、西側がウクライナを支援するのに対して、ロシアは中国や北朝鮮の協力を求めている。日米欧韓 vs 中露朝という対立図式がますます鮮明になっている。中国やロシアにとっては、金正恩の暴走を抑えるのが困難になっている。核兵器使用の可能性は、ウクライナのみならず、北朝鮮を巡っても高まりつつあると言わざるを得ない。

台湾有事、そのとき日本はどうなるのか

北朝鮮と並ぶ東アジアの不安定要因は台湾である。習近平は、中華人民共和国建国100年目に当たる2049年までには、台湾を統一することを目指している。武力統一もまた、選択肢として捨てていない。そこで、中国が台湾に武力侵攻してきたら、アメリカや日本はどうするのかということが問題になる。

1972年2月にアメリカのニクソン大統領が中国を訪れて毛沢東と会見し、国交を開くことで合意した。その後、1979年1月に正式に国交正常化が実現した。アメリカは、「中華人民共和国を唯一正統の政府として認め」、「台湾独立を支持しない」とした。

しかし同年4月に、米議会で、親台湾の保守強硬派が巻き返しを図って、「台湾関係法（Taiwan Relations Act）」を成立させ、アメリカが台湾の援助を続けると定められた。

1996年3月に台湾住民による自由で民主的な総統選挙が行われた際に、中国は、台湾独立を画策する選挙だと非難し、台湾周辺で軍事演習を行って威嚇した。これに対して、アメリカは第7艦隊を台湾海峡に派遣して牽制した。そして、初代総統には、中国に

抵抗する姿勢を示した李登輝が選ばれた。

中国が台湾に軍事侵攻した場合には、米軍は台湾を支援するために出動する可能性が高い。アメリカの台湾関係法によると米軍の介入は義務ではなく、オプションである。この「戦略的曖昧さ（Strategic Ambiguity）」は、中国を牽制するのに重要な意味を持っている。

アメリカが台湾に軍事介入する場合には、米軍は、日本や韓国に展開する米軍基地などから出動する。それに伴い、日本の自衛隊や韓国軍は、事実上米軍を支援することになる。このような台湾有事の可能性について検討し、必要な準備はしておかなければならない。

日本に迫る危機

自衛隊は２０１６年に与那国島、２０１９年には宮古島と奄美大島、２０２３年３月には石垣島に駐屯地を開設した。中国の脅威、そして台湾有事に対応するためである。

２０２１年３月には、当時の米インド太平洋軍のフィリップ・デービッドソン司令官が、２０２７年までに中国が台湾に侵攻する恐れがあると述べている。さらに、２０２３年１月には、米空軍のマイク・ミニハン大将が、２０２５年には中国との間で戦争となるだろうという内部向けのメモを示した。また、2023年2月に、ウイリアム・バーンズCIA長官は、習近平主席が2027年までに台湾侵攻の準備を整えるように人民解放軍に命じたことを示す情報を入手したと述べた。

このように米軍の幹部は中国による台湾侵攻を前提に、戦争の準備を加速化させている。ワシントンのシンクタンク「戦略国際問題研究所（CSIS）」は、2026年に中国軍が台湾への上陸作戦を実施するというシナリオを2023年1月に公表したが、中国は台湾を容易には占領できないというのが最も可能性が高いシナリオだという。

しかしそのケースでは、中国軍は揚陸艦の9割を失うが、米軍は空母2隻とその主要艦7～20隻、航空機168～372機、自衛隊は航空機112機、艦艇26隻を失うという。米軍は日本などに展開する米軍基地から出撃し、同盟国日本の自衛隊は米軍を支援する。したがって、中国軍の攻撃の対象となる。

「台湾独立」も「中台統一」もリスクが大きすぎる。そこで、現状維持が最善の解決策であるが、その状態をいつまで続けられるのであろうか。

習近平の野望は、台湾を中国に取り戻すことであり、政権3期目の最大の目標とする可能性がある。2027年までに危機が生じるという米軍指導者たちの観測には、そのような事情が背景にある。

ウクライナ戦争は長期化する可能性が大きく、その過程で、ロシアのみならず、ウクライナの最大の支援国、アメリカもまた国力を低下させる可能性がある。習近平にとっては、願ってもないチャンスである。

日本もまた、台湾有事にも備えなければならない。

米中覇権競争

中国は、最大の課題がアメリカとの覇権争いであることを認識しており、ウクライナ戦争の終結のあり方も、米中競争で自国が有利になる方向であるべきだと考えている。

もともと中国とウクライナとの関係は良好であり、ウクライナの最大の貿易相手国はかねてよりロシアであったが、2019年以降はロシアを追い抜いて中国がトップになっている。ウクライナからは、鉄鉱石、トウモロコシ、ひまわり油、大麦・裸麦（はだかむぎ）などが中国に輸出されている。中国からは、工業製品を中心として幅広い品目がウクライナに輸出されている。

中国とウクライナは、２０１３年12月に「中国ウクライナ友好協力条約」を締結している。ウクライナは「一つの中国」を認め、台湾独立を支持しない。一方、ソ連邦の解体に伴って核兵器を放棄したウクライナに、ブダペスト覚書と同様な安全保障を中国は供与している。

中国の狙いはアメリカによる一極支配体制の打破である。そこで、様々な手を打つ。たとえば、アメリカとヨーロッパ諸国の離反を画策する。マクロン仏大統領が２０２３年４月に訪中した際に厚遇し、台湾問題についてヨーロッパの立場はアメリカと異なるという言質をマクロンから引き出している。

マクロンは、欧州は米中間の第三極であるべきだとして、「最悪の事態は、欧州が台湾問題で追従者となり、アメリカのリズムや中国の過剰反応に合わせねばならないと考えることだ」と語ったのである。

アメリカと覇権競争を展開する習近平は、いつ、どのような形で台湾統一を実現するのであろうか。そして、武力統一を断行する際には、他国の干渉を招かないために、中国が核兵器の使用、あるいは核兵器による威嚇を行う可能性があるのである。

私たちは第三次世界大戦、そして核戦争の入り口に立っていると言っても過言ではない。

第4章

日本経済は再生できるのか

第二次世界大戦後に、世界は、アメリカのドルを基軸通貨とすること、ドルは1オンス＝35ドルで金と兌換できること、ドルと各国の通貨は一定の交換比率（為替相場）に固定することを決めた（ブレトンウッズ体制）。しかし、1960年代にベトナム戦争でアメリカの財政は悪化し、この体制を維持できなくなった。

1971年にニクソン大統領はドルと金の兌換を停止し、変動相場制への移行を決めた。日本は、高度経済成長を謳歌していたが、このニクソン・ショックに加え、1973年の石油危機で大きな経済的打撃を受けた。

アメリカでは1981年にレーガン政権が誕生するが、アメリカの対日貿易赤字が急増し、日米貿易摩擦が激化した。1985年9月に、為替相場を円高・ドル安に誘導する「プラザ合意」が結ばれ、貿易摩擦は解消した。しかし、その対応策として採用された金融緩和政策によって、日本はバブル経済となった。バブルは1990年3月に大蔵省による土地取引への融資規制を契機に崩壊し、以降デフレが続く。そして日本は競争力を失っていった。経済再生への道は険しい。

戦後の経済体制とはどのようなものか

ウクライナ戦争の影響で、小麦などの食料、石油などのエネルギー資源の流通が滞り、諸物価が高騰している。これが正常化するには、戦争が終わるのを待たねばならない。

物価の上昇は輸入品の価格の変化からももたらされている。円安である。1ドルが100円だったのが150円になれば、これまで100円出せば1ドルと交換できたのに、150円出さないとできなくなる。円の値打ちが下がったということで、これを円安という。円安になると輸入品の価格は上がり、それがまた国民の生活を困難にしている。逆に円高になると、輸入品の価格が下がることになるが、輸出産業は打撃を被る。

なぜこのように為替レートが時々刻々と変わるのか。それは、そういう制度になっているからで、これを変動相場制という。これに対して、為替レートが一定に定められている制度を固定相場制という。

私が子どもの頃は、この固定相場制で、1ドルが360円と決められていた。だから、今のように、為替レートがいくらかを気にする必要は全くなかったのである。今は、海外旅行に行くときには、為替レートが気になる。円高のときに外国に行くと、物価が安く感じて、つい大量の買い物をしてしまう。円安の日本に来る外国人は、まさにその状態で、財布の紐が緩んでいる。

1ドル＝360円という固定相場制が揺るいだのは、1971年のニクソン・ショックで、1973年には変動相場制に移行した。1971年のニクソン・ショックには二つあって、一つは、第3章で説明したアメリカと中華人民共和国との国交正常化である。1971年7月15日に、ニクソン大統領が北京を訪問することが発表され、世界を驚かせた。二つ目が1971年8月15日に、ドルと金との兌換を停止する措置の発表で、戦後の世界経済の枠組みを大きく変えたのである。

ブレトンウッズ体制

ヤルタ会談やポツダム会談が、第二次世界大戦後の国際政治の枠組みを決めたが、国際経済についてはどのような仕組みが考えられたのだろうか。

1929年の世界恐慌に対応するため、世界の大国は自ら閉鎖的な経済圏を作り、保護貿易への道を進んだ。大日本帝国の大東亜共栄圏の発想もそうである。このブロック経済化が経済分野での国際協調を困難にし、その対立が第二次世界大戦の引き金になった。

そのような愚を繰り返さないために、1944年7月に米ニューハンプシャーのブレトンウッズに連合国44カ国の通貨担当者が集まって、戦後の金融システムについて議論した。この連合国通貨金融会議において、「アメリカのドルを基軸通貨とすること、ドルは1オンス＝35ドルで金と兌換できること、ドルと各国の通貨は一定の交換比率（為替相場）に固定すること」が決められた。これがブレトンウッズ協定である。日本の円は、1ドル＝360円に固定された。

そして、1945年には、通貨の安定に必要な資金を融資するために国際通貨基金（IMF）を、戦後復興のための資金を供給するために国際復興開発銀行（IBRD）を設置することが決まった。前者は1947年に、後者は1946年に営業を開始した。さらに、1947年には自由貿易を推進するために、「関税及び貿易に関する一般協定（GATT）」を成立させた。

このブレトンウッズ体制の目的は、世界経済を安定させて、二度と世界大戦を起こさないことであり、戦後の復興と経済発展によってその目的は達成されたと言ってよい。

ベトナム戦争

第二次世界大戦後は東西冷戦となったが、それが武力による「熱い戦争」となったのが1950年6月に勃発した朝鮮戦争である。もう一カ所、インドシナ半島でも東西のにらみ合いが始まった。

この地域はフランスの植民地であったが、第二次世界大戦後に独立を目指す動きが起こり、ベトナム独立連盟（ベトミン）とフランスが戦った。ベトミンは、ホーチミンに率いられるインドシナ共産党を中心として1941年5月に結成された組織であるが、フランス、次いで日本に対して独立を求めて戦った。1945年8月に日本が第二次世界大戦に敗北すると、9月にベトナム民主共和国の独立を宣言した。

植民地からの解放を求めるベトミンは、1954年5月にフランス軍にディエンビエンフーで勝利し、7月にジュネーブ休戦協定が締結された。この1945～1954年の戦争を第一次インドシナ戦争と呼ぶ。こうして、フランスはインドシナ半島から撤退した。

この間、1949年10月には中華人民共和国が樹立されており、アメリカはアジアの共産化が進むことを危惧した。そのため、ジュネーブ休戦協定には参加せず、フランス撤退

図7　北ベトナムと南ベトナム

の後、この地域に介入し、1955年には南ベトナムにベトナム共和国（南ベトナム）を樹立し、ベトナム民主共和国（北ベトナム）と対決させた。南ベトナムでは、北ベトナムが1960年12月に南ベトナム解放民族戦線（ベトコン）を組織し、アメリカに支援された政権を打倒するための戦いを始めた。

1961年に政権に就いたケネディ大統領は、南ベトナムへの軍事支援を強化し、ベトコンと駐留米軍との小競り合いも始まった。ケネディ後任のジョンソン大統領は、1964年8月にトンキン湾で米駆逐艦が北ベトナムの魚雷攻撃を受けたこと（トンキン湾事件）への反撃として、北ベトナムを爆撃した。この北爆が、ベトナム戦争の始まりだとされている。後日談だが、北ベトナムは当時魚雷艇を保有しておらず、このトンキン湾事件はでっち上げだったことを当時のマクナマラ国務長官が4年後に明らかにしている。

1965年2月には北爆が恒常化し、3月には米軍20万人が派遣された。これがベトナム戦争の開始時期とされるが、その後も派兵される米軍の数は増えていき、戦争が泥沼化していった。ベトコン側は地の利を活かしたゲリラ戦を展開し、米兵を悩ませた。1968年1月には、ベトコンがテト攻勢をかけ、米軍は苦境に立たされた。また、アメリカをはじめ世界中で、ベトナム戦争に反対する声が高まった。

私は1967年4月に東京大学に入学したが、キャンパスはベトナム戦争に反対する立て看板が並び、「ベトナム戦争反対」が学生運動のスローガンとなっていった。このような反戦活動は世界の若者たちに共通していた。

1969年に大統領に就任したニクソンは、1970年にはカンボジアへ、1971年にはラオスへと戦線を拡大していった。このような戦争の拡大と長期化はアメリカの財政に大きな負担となっていった。また、戦争の大義について疑問を呈する声が世界中で高まり、アメリカのイメージの低下を招いた。

戦争による財政の危機が、１９７１年の二つのニクソン・ショックを生んだのである。ニクソン大統領は、金とドルの兌換を停止したが、そのためドルの価値は下がり、変動相場制に移行した。ドルを基軸通貨とするアメリカ主導のブレトンウッズ体制が終焉したのである。

この間、アメリカの経済援助のおかげで日本や西欧諸国は戦後復興を遂げ、経済成長を謳歌できるようになったが、それもアメリカの地位の相対的低下を招いたのである。日本や西欧からの製品輸入が増え、１９７１年にはアメリカは１００年ぶりに貿易収支が赤字になったが、このこともドル防衛に走った原因の一つである。

石油危機は世界にどのような影響を及ぼしたか

アメリカの一極支配を打破する背景となったのは、日本や西ヨーロッパの目覚ましい経済発展である。これを高度経済成長というが、日本の場合1955年頃から1973年頃までの時期にこの経済的奇跡が生じた。実質経済成長率が年10%前後で推移したのである。

1956年7月には、経済白書が「もはや戦後ではない」と戦後復興を遂げたことを賛美し、大きな話題になった。1ドル＝360円という固定された為替レートは、輸出に有利となり、石油の価格も安く、日本が工業化を進めるのに好条件であった。

1960年には、池田勇人（はやと）内閣が10年で所得を倍増させるという「所得倍増計画」を打ち上げた（この公約は1967年には達成した）。1964年には東京オリンピックが開催され、東海道新幹線も開業し、また高速道路の建設も進んだ。家庭電化製品も普及し、テレビ、冷蔵庫、洗濯機が「三種の神器」と呼ばれた。

1968年には、GDPで西ドイツを抜いて、アメリカに次ぐ世界第二の経済大国となった。1970年3月には大阪万博が開催された。

1971年のニクソン・ショックによる変動相場制への移行は、貿易黒字を削減させ、国際収支をバランスさせる効果があった。

第一次石油危機

1973年10月6日、第四次中東戦争が勃発した（第1章で前述したように、それから50年後の2023年10月にガザのイスラム組織ハマスがイスラエルを奇襲し、中東情勢を混乱に陥れた）。

この戦争は、エジプトとシリアがイスラエルを奇襲攻撃して始まったが、その影響で、原油価格が高騰した。石油輸出国機構（OPEC）加盟産油国のうち、ペルシア湾岸6カ国が、10月16日に、原油公示価格を1バレル3・01ドルから5・12ドルに引き上げると発表し、翌17日にはアラブ石油輸出国機構（OAPEC）が原油生産を段階的に削減することを決めた。さらに、OAPECはイスラエル支持国への石油禁輸も決め、湾岸6カ国は石油価格を1974年1月から5・12ドルを11・65ドルに引き上げることを決定した。戦争前の約4倍である。

アラブ産油国が、石油をイスラエルと対抗する政治的武器として活用したのである。

この石油価格高騰は、エネルギー源を安価な中東の石油に依存する先進工業国を直撃し、急激な物価上昇となった。第一次石油ショックであり、この危機は、1977年3月に中東産油国が原油生産削減を緩和し、対米禁輸を解除するまで続いた。

日本でも、当時は、田中角栄首相の提唱した日本列島改造ブームで地価が高騰し、インフレとなっていたが、原油価格の急騰はインフレをさらに悪化させた。消費者物価指数は、1974年には23％上昇し、「狂乱物価」と称された。消費は減退し、企業の設備投資は縮小され、公共投資も抑制された。その結果、1974年には、成長率はマイナス1・2％となった。戦後初のマイナス成長であり、高度経済成長は終わり、インフレと不況が同時に進行するスタグフレーションという事態になったのである。

石油資源の不足から、トイレットペーパーや洗剤が品不足になるという噂によって、スーパーからこれらの商品がなくなり、大きな社会問題となった。政府は、ガソリンスタンドの日曜営業停止、テレビの深夜放送の停止などの省エネを国民に呼びかけ、また、省エネ技術の開発に努力した。この技術開発が1978年に始まった第二次石油ショックを乗り切るのに役立った。

第一次石油ショックに対応するため、フランスのジスカールデスタン大統領の提唱により主要国首脳会議が開かれることになり、第一回はフランスのランブイエで1975年に、アメリカ、イギリス、フランス、西ドイツ、日本、イタリアが参加して開催された。第二回は翌年、プエルトリコのサンファンで開かれたが、カナダも参加し、これでG7となった。

第二次石油危機

第二次石油危機は、1978年1月に起こったイラン革命が引き金となったものである。イスラム教シーア派の宗教指導者に率いられた民衆が街頭に出て、パーレビ王朝を倒し、1979年2月には亡命先のパリから帰国したホメイニ師が「イラン・イスラム共和国」を樹立した。メジャーズはイランから撤退した。新政権は石油を国有化し、石油の輸出を制限した。当時のイランは、サウジアラビアに次ぐ世界第2位の産油国であり、その影響は大きかった。

その結果、石油価格が高騰し、また、OPECが原油価格を段階的に引き上げることを決めたため、第二次石油危機となったのである。これに、1980年9月に勃発したイラン・イラク戦争がさらに暗い影を落とし、石油価格が3年間で2・7倍に跳ね上がる危機的状況になった。

この危機が収まったのは１９８３年３月である。後述するように、１９８１年のレーガン政権の登場で、アメリカのインフレが抑制され、経済好転の兆しが見えたからである。

レーガノミクス

第二次石油ショックはアメリカも直撃し、１９７９年の消費者物価は、前年比でプラス13・３％にもなった。そこで、カーター政権下でボルカーＦＲＢ（連邦準備制度理事会）議長は金利を上げるなど金融引き締め策をとり、その結果、インフレは収まっていき、１９８２年後半にはプラス３％台にまで落ち着いた。しかし、同時に不況は進行していった。

１９８０年の大統領選挙では、カーター政権のスタグフレーション（インフレと不況）、弱腰の外交政策などに批判が集まり、共和党のロナルド・レーガン候補がカーター候補に勝利した。

大きな要因は38ページで前述した米大使館人質事件である。１９７９年11月４日、イランの首都テヘランでアメリカ大使館が革命派の学生に占拠され、大使館員が人質になった。１９８０年４月にカーター大統領は人質救出作戦を断行するが、作戦はヘリコプターの故障で失敗した。そのためカーター批判が強まり、「強いアメリカ」の復活をうたうレーガンが当選したのである。

レーガンの経済政策は「レーガノミクス」と呼ばれたが、その特色は、（1）政府支出を抑え「小さな政府」にする、（2）大幅な減税を行う、（3）規制緩和を実行する、（4）マネーサプライの伸びを抑え、政策金利を上げ、通貨高に誘導する金融政策を実行するというものであった。

理論的には、供給量を増やすことを重視するサプライサイド経済学、マネタリズムに基づいていた。これによって、経済成長率を上げ、雇用を増やし、インフレを抑制し、財政収支が改善することが期待された。

レーガンは、強いアメリカを復活させるために軍事支出を大幅に増やしたが、減税と相まって、財政赤字は拡大した。さらに、ドル高は輸出を減らし、輸入を増やすことになり、貿易赤字を拡大させた。こうしてアメリカは、財政赤字と貿易赤字の「双子の赤字」に悩むことになる。

数字で見てみよう。レーガノミクスのうち、成功したのは金融引き締めによるインフレの抑制のみで、他は期待した成果を上げることができなかった。１９８１〜１９８６年の年間平均データでは、実質ＧＮＰ成長率は予想が３・９％で実際は３・２％であった。消費者物価上昇率は予想が6・7%で実際は4・9%であった。1988年には3・2%まで下がった。失業率は予想が6・6%で実際は8・1%であったが、1988年には5・5%まで減少した。財政赤字は予想が147億ドルで実際は1723億ドルであった。

私は、アメリカ政府の招待で、レーガン新政権の課題と展望を研究するために、1981年3月、アメリカを訪問した。新大統領レーガンへの国民の期待は大きく、屈辱的なカーター外交とは異なる「強いアメリカ」の復活を求める雰囲気が漲(みなぎ)っていた。3月30日の午後、私がホワイトハウスで大統領補佐官と会談しているときに、レーガンがヒルトンホテルの前で銃撃された。補佐官の机上のホットラインの赤い電話機が鳴り、会談は中止となった。レーガンは一命を取り留めたが、病院などにおける彼のユーモアに富んだジョークなどの対応ぶりが国民的人気を高めた。

バブルはなぜ崩壊したのか

レーガン政権の高金利・ドル高政策は、巨額の貿易赤字を生み、とくに対日貿易赤字が大きな政治問題となった。日本の自動車や家電製品は高性能で、アメリカでよく売れ、アメリカに対する貿易黒字が拡大した。当時、ＵＡＷ（全米自動車労働組合）の組合員が日本車をハンマーでたたき壊すパフォーマンスがマスコミで大きな話題になった。１９８５年3月28日には、アメリカの上院は日米貿易に関して、大統領に対日報復措置の実施を求める決議を全会一致で可決した。

プラザ合意

この貿易赤字を解消するためにアメリカが策定した戦略が「プラザ合意」である。１９８５年9月22日、先進5カ国（アメリカ、イギリス、フランス、西ドイツ、日本）の財務大臣・中央銀行総裁会議がニューヨークのプラザホテルで開かれた。

アメリカは、自国の貿易赤字を為替相場の調整によって是正するという方針を固め、それを参加国に要請したのである。このアメリカの要請が認められ、日本の円と西ドイツのマルクの相場を上昇させる為替介入が合意されたのである。これをプラザ合意という。

その結果、「強いドル」は過去のものとなり、ドル売りの協調介入によって、円相場は、1ドル235円から1日で20円上昇し、1年後には150円台にまで急騰した。自由変動相場制から協調介入という管理相場制への移行である。

ドル安によってアメリカの輸出競争力は回復し、1988年には貿易赤字を大幅に削減させることに成功した。

この急激な為替調整によって円高不況となることが危惧された。政府は、対米貿易摩擦を解消するため、公共事業の拡大など内需主導型の経済への転換を図った。

当時の中曽根康弘政権は、対米貿易摩擦への対応を検討するために私的諮問機関として研究会を設置した。座長は前川春雄元日銀総裁であったが、輸出に過度に依存しない内需主導型の経済成長を目指すべきだと、1986年4月に提言した。これが「前川レポート」であるが、内需を刺激するために金融緩和策を講じることにした。

円高不況への対策として、日本銀行は、1985年に5%だった公定歩合（民間金融機関への貸出において中央銀行が設定する標準金利）を、１９８６年３月には４・０％に下げ、その後も引き下げを続けて、１９８７年２月には２・５％と戦後最低の水準になった。

バブルの発生

この金融緩和策は、マネーサプライを増やした。つまり、お金がジャブジャブと溢れ、その金が投資先を求めて株や不動産に流れていったのである。こうして、日本はバブルに突入していった。１９８６年12月頃に始まったバブルは、１９９１年２月頃まで続くことになる。

１９８５年に日本電信電話公社が民営化されＮＴＴとなり、１９８７年２月９日にＮＴＴ株が新規上場された。この株を入手しようと、証券会社に人々が殺到し、１６５万人のＮＴＴ株主が生まれた。売り出し価格は１１９万７０００円であったが、２カ月後の４月22日には３１８万円に高騰し、財テクブームが到来した。

１９８７年10月19日（月曜日）、香港の株式市場で株価が暴落し、それは世界に波及した。これが、ブラックマンデーである。日経平均株価は金融緩和のおかげで半年後の１９８８年４月には暴落前の水準に回復し、１９８９年12月29日には史上最高値の３万８９５

7円44銭をつけた。当時の東京株式市場の上場株式の時価総額が、ニューヨーク市場やロンドン市場を上回り、世界一となった。

土地の価格は異常に高騰し、東京の山手線内側の土地を売れば、アメリカ全土が買える計算になったほどである。不動産のみならず、ゴルフ会員権、絵画などが投機の対象となり、価格が暴騰した。

日本マネーは海外でも金融資産、不動産などを漁(あさ)った。

1987年には、安田火災海上保険(現損保ジャパン)が、ロンドンで行われたクリスティーズの競売で、ゴッホの「ひまわり」を53億円で落札した。一枚の絵の取引としては最高額であった。1990年には、大昭和製紙の斉藤了英(りょうえい)名誉会長がゴッホとルノワールの2作品を244億円で落札した。

1989年には三菱地所がニューヨークのロックフェラーセンターを8億4600万ドル(当時の為替レートで約1200億円)で買収した。アメリカのシンボルともいえるロックフェラーセンターが日本に買われたことは、アメリカ国民に衝撃を与え、反日感情が広まり、ジャパン・バッシングが激化していった。

因みに、その後、バブルが崩壊して赤字が募り、運営会社が破産し、三菱地所が買収した14棟のうち12棟が売却された。バブル期に日本の金融機関は資産を膨張させ、１９８９年には銀行の資産額世界ランキングで、トップ10行のうち7行が日本の銀行であった。地方銀行まで海外に支店を開く成長ぶりだったのである。

この日本の銀行の世界雄飛に脅威を感じた欧米は、ブレーキをかけるために、自己資本規制を導入した。ＢＩＳ（国際決済銀行）は、１９８８年7月に、国際的に活動する銀行に自己資本比率が８％以上という規制を決めたのである。当時の日本の銀行の自己資本比率は2％程度だった。１９９０年代に入ると株価が下落し、株の含み益が減っていき、多くの銀行が自己資本比率８％を割り込む状態となり、苦境に陥った。

税制では１９８９年4月1日に消費税が導入され、経済活動を収縮させる効果を持った。

バブルの崩壊

余りにも異常な地価の高騰に対して、政府、日銀は様々な対策を講じた。

金融引き締めのタイミングが遅れていたが、日銀は１９８９年5月30日に、公定歩合を0・75％引き上げることを決めた。こうして、2・5％だった公定歩合は3・25％になったが、実に9年2カ月ぶりの利上げであった。10月に0・5％、12月に0・5％とさらに引き上げ、1年3カ月で6％台にまでなった。

この金融引き締めの結果、株価も、1990年末には2万3848円にまで下落した。

1990年3月27日、大蔵省は土田正顕（まさあき）銀行局長名の通達「土地関連融資の抑制について」を発した。これは、金融機関の土地取引に対する融資の伸び率を総融資の伸び率以下に抑えることを求めたもので、「総量規制」という。銀行法に基づくこの行政指導の結果、土地への銀行の融資が激減し、「貸し渋り」、「貸し剥がし」という事態になった。不動産、金融資産などの資産価値が急激に下落し、バブルは崩壊していった。

ところで、住宅専門金融会社（住専）と農協系金融機関は総量規制の対象外であった。これらの機関による迂回（うかい）融資という手を使って銀行は不動産融資を続けた。

住専は、1970年代に大蔵省の指導によって銀行が出資して設立されたものであるが、8社中7社が破綻し、1995年には住専全体の不良債権は6兆5000億円にのぼった。この不良債権を処理するために、政府は1996年度予算の一般会計から6850億円を支出した。公的資金、つまり国民の税金で補填されたわけである。

アジア通貨危機はなぜ起こったのか

１９９７年7月2日、タイの通貨バーツが暴落した。この通貨危機はマレーシア、韓国、インドネシアなどにも拡散していった。そのため、アジア全体の景気が落ち込んだ。

東南アジアは１９８０年代に経済成長を遂げ、金融自由化とともに外国から多額の資本が流入し、不動産投資などに向かった。その結果、タイはバブル状態となり繁栄を謳歌したが、１９９７年に、ヘッジファンドがタイ経済の将来に見切りをつけてバーツ売りに走った。そのため、バーツは変動相場制への移行を余儀なくされた。この通貨危機は他のアジア諸国にも伝搬し、タイと韓国はＩＭＦの管理下に置かれ、日本もまた支援を惜しまなかった。

タイでは、通貨危機を招いたことを批判されたチャワリット政権に代わって、１９９７年11月にチュアン首相の内閣ができた。両人とも私の友人であり、タイに行くと当時の苦労をよく私に話してくれたものである。

マレーシアでは、マハティール首相がＩＭＦの管理を拒否して、ヘッジファンドなどへの規制を強化して危機を乗り切った。

インドネシアでは、ＩＭＦに対する民衆の反発が、１９９８年５月のスハルト政権の退陣につながった。32年にわたった長期政権であった。

韓国では、１９９７年12月の大統領選挙で、ＩＭＦの管理を受け入れることを表明した金大中（キムデジュン）が当選し、通貨危機に対応できなかった金泳三（キムヨンサム）政権の後を継ぐことになった。１９９７年の１年間で１万７０００社の企業が倒産し、失業率は８・８％となり、１９９８年の経済成長率はマイナス５・５％であった。

このアジア通貨危機は、日本のバブル崩壊と似ているが、ヘッジファンドが引き金を引いた点では異なっている。


このアジア通貨危機は日本経済にも暗い影を投げかけ、株価が下落した。１９９７年は、４月１日に消費税が３％から５％に引き上げられたこともあって、景気の足を引っ張り、これにアジア通貨危機が加わって、株価は１万７０００円台にまで下落した。とくに銀行株が下落し、銀行や証券会社の倒産が相次いだ。

１９９７年11月３日には三洋証券が会社更生法を申請し、11月17日には北海道拓殖銀行が営業譲渡の決定をした。11月24日には山一証券が自主廃業を決め、11月26日には徳陽シティ銀行が経営破綻を発表した。

翌年も、10月23日には日本長期信用銀行が、12月13日には日本債券信用銀行が特別公的管理を申請した。

金融ビッグバン

1996年1月、村山富市(とみいち)内閣の後を受けて、橋本龍太郎内閣が発足した。自民党・社会党・新党さきがけの連立政権であるが、後二者が閣外協力に転じたため、11月に自民党単独の橋本第二次内閣となった。この内閣は、行政改革、財政構造改革、経済構造改革、金融システム改革、社会保障構造改革、教育改革の6つの改革を打ち出した。

行政改革の結果、中央省庁の再編成が決まり、2001年1月、森喜朗(よしろう)内閣のときに、1府22省庁から1府12省庁に再編された。大蔵省は財務省となった。

金融改革は「金融ビッグバン」と呼ばれ、Free（市場原理が働く自由な市場）、Fair（透明で公正な市場）、Global（国際的で時代を先取りする市場）という原則を掲げた。

具体的な政策としては、「銀行、証券、保険の相互参入」、「株式売買手数料など各種手数料の完全自由化」、「ディスクロージャーの充実・徹底」「会計制度の国際標準化」などが検討された。

　橋本内閣は「貯蓄から投資へ」をうたい文句にしたが、金融ビッグバンでは実現しなかった。ところが2019年6月、金融庁が公表した金融審議会の報告書「高齢社会における資産形成・管理」に、「老後資金が2000万円不足」という警告が広く伝えられ、それが国民の投資への意欲をかきたて、「貯蓄から投資へ」という流れが進みつつある。

　また、金融機関は合併を繰り返した。平成時代になると、1990年に三井と太陽神戸が合併し「さくら銀行」に、1991年には協和と埼玉が合併し「あさひ銀行」となった。2003年には大和とあさひが合併して「りそな銀行」となった。1996年に三菱と東京が合併し「東京三菱銀行」となり、それに2006年にUFJ銀行が合流して、「三菱UFJ銀行」となった。2000年には、第一勧業銀行、富士銀行、日本興業銀行が合併して「みずほ銀行」となった。2001年に住友とさくらが合併して「三井住友銀行」となった。

　こうして、現在は、三菱UFJ銀行、三井住友銀行、みずほ銀行、りそな銀行の4大銀行に集約されている。

日本人の給料はなぜ上がらないのか

バブル崩壊後の1990年代は「失われた10年」と呼ばれた。

日本経済は低調となってしまった。実質経済成長率は1990年代前半は年率で1・4%、90年代後半は1・0%であった。また、消費者物価指数は、1990年代前半が年率で1・4%、90年代後半が0・3%で、現金給与総額はそれぞれ1・9%、0・1%にとどまった。つまり、90年代後半には実質賃金は低下したのであり、デフレが進行していった。

私は、2001年夏の参議院選挙で初当選し、国会議員となったが、当時の日本経済はデフレに苦しみ、そこからどう脱出するかについて議論が行われていた。私は、日銀の金融政策を厳しく批判し、2001年11月14日の参議院予算委員会で速水優（まさる）日銀総裁に質問し、インフレ・ターゲットの導入を求めた。しかし、満足のいく答弁は引き出せなかった。

インフレ・ターゲット、つまり、数値で物価目標を示すということを日銀に理解してもらうのが難しかったのである。

その後、日銀総裁は、福井俊彦、白川方明、黒田東彦と代わっていくが、次第に日銀はインフレ・ターゲット論に賛成するようになってくる。とくに自民党が安倍総裁の下で政権に復帰してからは、その路線が定着した。

この金融の量的緩和策は、ベースマネーを増やすことに眼目があって、そのために日銀が無制限に国債を購入するというような手段を講じるのである。その結果、企業の経済活動が活性化し、それが富を生み、賃金も上がっていく。そのおかげで消費が増え、物価も少しずつ上がっていくという好循環が理想型なのである。

日銀は、2016年1月からは、短期金利をマイナスにした「マイナス金利付き量的・質的金融緩和」策を開始した。同年9月には、イールドカーブ・コントロール（YCC）を導入した。これは、10年物国債金利が0％程度で推移するように日銀が国債を買い入れ、長短金利全体をコントロールしていく政策（「長短金利操作付き量的・質的金融緩和」策）である。

2021年3月からは10年物国債金利の変動幅を0％程度からプラスマイナス0・25％

程度とし、２０２２年12月にはプラスマイナス０・５％にした。そして。２０２３年７月には、変動幅の位置づけを「目途」にして、長短金利操作を従来よりも柔軟に運用する、つまり実質的に長期金利１・０％までの上昇を容認した。

物価上昇、上がらない賃金

しかし、賃金上昇→消費上昇→物価上昇という理想はまだ実現していない。たとえば、総務省が２０２２年５月20日に公表した２０２２年４月分の消費者物価指数（ＣＰＩ）を見てみると、前年同月比で２・５％である。生鮮食料品を除くＣＰＩは２・１％、生鮮食料品及びエネルギーを除くＣＰＩは０・８％である。

数字だけ見ると、２％というインフレ・ターゲットに到達しているが、それは賃金上昇がもたらした結果ではない。理由は、ウクライナ戦争であり、新型コロナウイルスの流行である。戦争で、小麦などの食料品、石油や天然ガスなどの供給が激減し、またコロナで部品の供給が止まるなどの事態が生じた結果の値上げなのである。

賃金については、日本では諸先進国に比べて、驚くほど上がっていない。OECDのデータを基に、１９９５〜２０２０年の25年間に、各国で名目賃金と物価が、それぞれどれくらい伸びたかを検討すると、韓国が2・92倍／1・92倍、アメリカが2・23倍／1・7倍、イギリスが2・08倍／1・64倍、ドイツが1・64倍／1・41倍なのに対し、日本は0・96倍／1・04倍である。つまり、日本のみが賃上げ率が物価上昇率よりも低いのである。これでは、生活防衛のために消費を抑制するしかない。「家計が値上げを許容できる」とはとてもいえるような状況ではないのである。名目賃金が25年間で減っている。

2023年12月現在でも、日本経済は金融緩和政策を解除できるような状況にはなっていない。したがって、内外の金利差は広がる一方であり、円安は続かざるを得ない。

問題は、私が国会で速水総裁を追及してから20年以上が経つのに、日本経済がデフレ状況から脱却できていないことである。金融の量的緩和策が間違っているわけではないが、それだけでは目標に到達できないのである。

単純化して言えば、市中に青天井でマネーを流しても、それを活用する企業がいなければ効果は上がらないからである。

「失われた30年」はなぜ出口が見えないのか

２０００年代に入ると、ＩＴバブルが生じ、２０００年3月の株価は2万円台であった。金融引き締め（ゼロ金利解除）の影響で２００１年夏にはバブルが崩壊し、株価は１万７１３円にまで下落した。そして、２００１年9月11日にアメリカが同時多発テロに襲われたため、その影響で翌日の株価は９６１０円まで下げた。

その後、２００２年から日本経済は長期の景気拡張過程に入り、２００３年からは株価も上昇に転じた。２０００年代前半の実質経済成長率は年率で１・３％、消費者物価指数は年率でマイナス０・４％、現金給与総額はマイナス０・８％であり、依然としてデフレが続いた。

リーマン・ショック

アメリカでは金融緩和政策や住宅ブームが好景気を生み、それが日本にも好影響を与えた。アメリカでは住宅価格が上がり、購入した物件の担保価値も上がり、その建物を担保にして低金利のローンに借り換えることが可能になった。そのときに活用されたのがサブプライムローン（所得や信用力の低い個人向け住宅融資ローン）である。

ところが、2006年に住宅価格は伸び止まって、担保価値が減り、借り換えができなくなり、ローンを返済できない者が続出した。こうしてローン会社が破綻し、サブプライムローン債券を組み入れた証券化商品の価格が下落し、不良債権化した。

その結果、アメリカの投資銀行大手のリーマン・ブラザーズが2008年9月15日に倒産した。負債総額は6000億ドル超であった。こうして、世界に信用収縮と株価の暴落の波が広がった。これがリーマン・ショックであり、1929年の世界大恐慌以来の世界的な大不況となった。日経平均株価も10月には7100円台に下落し、バブル崩壊後の最安値を記録した。

この結果、日本も不況となり、労働市場も不安定化し、有効求人倍率は2009年には1963年に統計をとりはじめて以降、最悪となった。そして、派遣切りや雇い止めといった事態が起こり、私は厚生労働大臣として対応に苦慮した。年末年始には年越し派遣村が開かれる騒ぎとなったことをよく記憶している。当時の麻生内閣では、厚労省が緊急雇用創出事業を強力に推進した。

このように経済情勢が悪化する中で、デフレは続いていった。２００９年夏の総選挙で自民党は敗北し、民主党に政権がわたった。２０１０年には、GDP世界ランキングで中国に抜かれ、2位から3位に転落した。

アベノミクス

２０１１年3月11日には東日本大震災が発生し、福島第一原発の事故も起こった。この震災は甚大な被害をもたらし、工場の操業停止による部品不足など日本経済にも悪影響を及ぼし、GDPを引き下げた。日経平均株価は3月15日には８６０５円にまで下落した。

２０１２年12月に行われた総選挙では自民党が圧勝し、政権に復帰し、第二次安倍晋三内閣が成立した。安倍は、大胆な金融政策、機動的な財政政策、民間投資を喚起する成長戦略の「三本の矢」を掲げ、デフレからの脱却を目指した。金融政策については、私が速水日銀総裁を批判して提唱したインフレ・ターゲット路線を採用したのである。２０１３年3月に就任した黒田日銀総裁は、年率2％の物価上昇率を目標に、長期国債の大量購入など異次元の金融政策を打ち出した。

このアベノミクスは内外に大きな期待を呼び、２０１３年5月には株価は1万５０００

円台を回復した。その後も、経済は順調に回復していき、株価は2015年4月22日に15年ぶりに2万円台を回復した。2016年の11月の米大統領選でトランプが当選し、ドル高・円安となり、株価も上がっていった。2017年10月の総選挙で、自民党は465議席中284議席を獲得し、公明党の29議席と合わせて313議席と安定過半数を維持した。その結果、株価も上昇していった。しかしながらデフレの克服には至っておらず、「失われた30年」となってしまった。

2019年末、中国で新型コロナウイルスが発生し世界的な大流行（パンデミック）となったため、世界中で経済活動が萎縮した。この感染症が日本で2類から5類に移行したのは2023年5月8日である。その間3年余りにわたり経済に悪影響を与え続けた。

2022年2月24日にはロシア軍がウクライナに侵攻した。その結果石油、天然ガスなどのエネルギー資源や、小麦などの価格が高騰し、世界経済の成長を妨げている。

2020年代は、コロナ流行、ウクライナ戦争で幕を開け、さらに中東でのハマスとイスラエルの戦争も勃発した。世界中で通常の経済運営ができない異常事態となっている。

日本経済は復活できるのか

ＩＭＦの予測によると、２０２３年の日本の名目ＧＤＰは、ドイツに抜かれて３位から４位に転落するという。ドルベースの数字なので、円安、さらにドイツの高い物価上昇率の影響も考慮する必要があるが、日本の経済力の長期低落傾向の表れでもある。

具体的には、日本は前年比０・２％減の４兆２３０８億ドル（約６３３兆円）で、ドイツは８・４％増の４兆４２９８億ドルである。１位のアメリカは26兆９４９６億ドル、２位の中国は17兆７００９億ドルとなっている。

「ジャパン・アズ・ナンバーワン」と激賞された日本は輸出攻勢により、日米経済摩擦を引き起こし、１９８５年にはプラザ合意を迫られ、急速な円高に方向転換させられた。この１９８５年の名目ＧＤＰ世界ランキングを見てみると、１位がアメリカで４兆３３９０億ドル、２位が日本で１兆４２７４億ドル、３位がドイツで６６１０億ドル、４位がフランスで５５７６億ドル、５位がイギリスで５３７２億ドルであり、中国は８位で３１０１億ドルであった。それから約40年が経つが、その間にアメリカはＧＤＰが６倍以上に、中国は50倍以上になっているが、日本は3倍にしかなっていない。

プラザ合意の後、対米経済摩擦解消のため、日本政府は公共事業の拡大など内需主導型経済に転換し、日銀は金融緩和策を講じた。その結果、マネーサプライが増え、ジャブジャブと溢れたお金が株や不動産に流れ、バブル景気となった。1986年12月頃に始まったバブルは1991年2月頃まで続いた。

翌1992年の名目GDP世界ランキングを調べてみると、1位がアメリカで6兆5203億ドル、2位が日本で3兆9883億ドル、中国は9位で4921億ドルであった。その当時と比べて、アメリカも中国もGDPは4倍超になっているのに、日本は1割弱しか伸びておらず、低迷が顕著である。

要するに、バブルが崩壊して以来、日本経済は冬眠しているような状態が続いているのである。以上の統計は、まさに日本の「失われた30年」を雄弁に物語っている。

スイスの国際経営開発研究所（IMD）の、「世界競争力ランキング2023」によると、日本は64カ国・地域中、過去最低の35位であった。前年は34位であったから1ランク低下している。

1位はデンマーク、2位はアイルランド、3位はスイス、4位はシンガポール、5位はオランダである。

アジア・太平洋地域をとってみると、14カ国中11位である。1位はシンガポール、2位は台湾、3位は香港、4位はオーストラリア、5位は中国である。

次に、日本生産性本部が発表した「労働生産性の国際比較2022」によると、2021年の日本の時間当たり労働生産性（就業1時間当たり付加価値）は4万9900ドルで、OECD加盟38カ国中27位であった。これも、データが取得可能な1970年以降で過去最低の順位である。

一人当たり労働生産性（就業者一人当たり付加価値）は、8万1510ドルで、これも1970年以降で最低の29位である。

日本の製造業の労働生産性（就業者一人当たり付加価値）は、9万2993ドルで、主要35カ国中18位である。

経済再生への道筋

「失われた30年」と言われるように、この30年間、日本経済はなぜ低迷してきたのか。様々な理由が考えられるが、原因の一つに、ICT（Information and Communication Technology情報通信技術）への投資を怠ったことにある。欧米先進国に比べて極めて少なく、これが欧米に大きく遅れをとったことの背景にある。

21世紀になってから、経済成長率は、常に韓国のほうが上である。たとえば、7・73% vs 0・04%（2002年）、3・69% vs 0・02%（2011年）、2・91% vs 0・64%（2018年）といった具合である。

さらに言えば、韓国では物価上昇以上に賃金が上がってきたので、国民の生活が向上してきたが、日本では逆で物価上昇に賃金が追いついていない。そのために生活が豊かにならないのである。

日本経済研究センターの試算によると、一人当たりのGDPは、2022年は日本が3万3636ドルで、これは台湾の3万3791ドル以下である。2023年は、日本が3万3334ドルで、韓国の3万4505ドルに抜かれるという数字が出ている。

韓国は、半導体、電池、電気自動車、コンテンツなどの先端分野に大胆な投資を行っており、その効果が出てきたのである。それが生産性の向上につながったと言えよう。今、日本も政府の支援で半導体産業に梃入(てこい)れしているが、台湾や韓国を巻き返すのは容易ではない。

デジタル化の遅れは、人材養成を怠ったつけである。2030年には約80万人のIT人材が不足するという。韓国や台湾に比べて、この点で大きな差がある。また、技能を持った高齢者の活用も考慮する必要がある。

旧式のシステムに固執する企業が多いのも問題である。

また、「和を以(もっ)て貴しとなす」という同調圧力も新技術の開発にはマイナスとなる。個性の強い独創力のある人材を許容する社会へと変わらねばならない。さらには、系列企業内で生産を行うのではなく、アウトソーシングを積極的に行ってコストダウンをする必要がある。ビッグデータのさらなる活用も課題である。

日本経済の長期低落は、デジタル化の遅れのみならず、様々な原因による。

たとえばバブル、そしてバブルの崩壊をもたらした「護送船団方式」と言われる官庁の行政指導、官民の癒着は今も続いているのではないか。マイナンバーカードの失敗も、グランドデザインを欠く役人が構想したからではないのか。規制第一に考える官僚の発想で上手くいくはずはない。自由な考え方で青写真の描ける民間の人材を活用しなかったツケが来ている。

規制緩和はもっと大胆に実行せねば、民間の活力は生まれない。市場から退出すべき競争力のない企業を補助金で守るような愚は止めねばならない。新しい分野に挑戦するスタートアップ企業をもっと育成すべきである。

２０１９年末から新型コロナが流行し、政府主導の感染症対策を余儀なくされた。補助金など大幅な財政出動である。また、２０２２年2月にはロシアがウクライナに侵攻し、輸入に依存する原油や食料品などの価格が高騰した。ここでも財政出動である。それに加えて、中東情勢が緊迫化している。

この緊急事態がいつまで続くかはわからないが、日本の旧弊を一掃するという課題に果敢に挑戦することこそ、日本政府の最重要課題でなければならない。

第5章

中国は世界一の大国になるのか

中国は、アメリカと肩を並べる大国になりつつある。近代の世界の歴史を振り返ると、時代によってナンバーワンの国（覇権国）が変わっていった。19世紀はイギリスの時代（パックス・ブリタニカ）、20世紀はアメリカの時代（パックス・アメリカーナ）であった。では、21世紀中に中国の時代（パックス・シニカ）は到来するのであろうか。その可能性は十分にある。しかし、中国は自由な民主主義社会ではない。米ソ冷戦でソ連邦が敗北したが、それは自由なき計画経済が失敗したからである。ところが、中国は市場経済原理も導入して「社会主義市場経済」を実行しており、経済発展を遂げている。

しかし、香港の民主派を弾圧したり、ウイグル人の人権を侵害したりして、言論の自由などの基本的人権を認めていない。とりわけ、習近平は権力を自己に集中しており、反対派に対する締め付けを強化している。

不動産不況に見られるように、経済も不振になっており、建国100年目の2049年に世界一になるという習近平の夢は実現するのであろうか。

世界の覇権はどのように移り変わってきたか

アメリカは、最大のライバルは中国だと考えている。軍事、外交、経済、あらゆる部門で、アメリカの覇権に中国が対抗している。アメリカは、中国が世界一の座に就くのを阻止したいと考えている。その課題に専念したいときに、ウクライナ戦争、そしてハマスとイスラエルの戦いが始まってしまった。三正面作戦を強いられるアメリカは困惑している。

世界の覇権がどのように変遷してきたか、歴史を振り返ってみよう。

第二次世界大戦後の国際秩序をパックス・アメリカーナ（Pax Americana）と呼んできたが、その捉え方の背景にあるのが世界システム論である。これは、国際社会を一つのシステムと考えて、それが歴史的にどのような変遷を遂げていったかを考察するものである。その体系的な理論を提示したのは、イマニュエル・ウォーラーステインである。

ある一国の経済力が圧倒的に強くなって、その国が生産する商品の競争力が他の全ての国に対して優勢になるような状態を「覇権（ヘゲモニー hegemony）」と呼ぶ。そのようなヘゲモニーを享受したのが、1625〜1675年のオランダ、1815〜1873年のイギリス、1945〜1967年のアメリカである。

図8　世界システムの変遷

	長期サイクル	覇権国	世界戦争	挑戦国	対決国	次期覇権国
I	1517-1608	ポルトガル	1585-1608	スペイン	オランダ、イギリス	オランダ
II	1609-1713	オランダ	1689-1713	フランス	オランダ、イギリス	イギリス
III	1714-1815	イギリス	1793-1815	フランス	イギリス	イギリス
IV	1816-1945	イギリス	1914-1918	ドイツ	イギリス、アメリカ	アメリカ
			1939-1945	ドイツ	イギリス、アメリカ	
V	1945	アメリカ				

出典：舛添要一『90年代の世界力学地図』
（舛添要一著、PHP研究所、1988年）

これらの研究を基にして「世界システムの変遷」を記してみると、上の表のようになるが、そこには4つの特色がある。

第1は、ほぼ100年の周期で覇権国が交代するということである。ポルトガル→オランダ→イギリス→イギリス→アメリカと100年ごとに代わっている。

第2は、ナンバーワンである覇権国の支配に対して挑戦するナンバーツーの国が必ず存在するということだ。挑戦国もスペイン→フ

図9　海軍力から見た世界の主要国

	ポルトガル	スペイン	蘭	英	仏	露・ソ連	米	独	日
I	○	○	○	○	○				
II		○	○	○	○				
III		○	○	○	○	○			
IV				○	○	○	○	○	○
V						○	○		

出典：舛添要一『90年代の世界力学地図』
（舛添要一著、PHP研究所、1988年）

ランス→フランス→ドイツと変化している。

しかし、覇権国にチャレンジしたその挑戦国とは別の国が、次の時期にヘゲモン（覇権国）の座を占めることになる。

第3は、世界の覇権の交代の契機が世界的規模での戦争であるという考え方である。その時代の軍事大国全てを巻き込むような戦争が、ほぼ30年間続くと、覇権国が入れ替わる。別の表現をすれば、「30年戦争」が国際秩序を変えるのである。

いずれの場合も覇権の交代が約30年間続く戦争によってもたらされている。第一次世界大戦と第二次世界大戦をまとめて計算すれば、1914年に始まり1945年に終わっているから、これまた「30年戦争」と考えてよい。

第4は、海軍力を国力の指標としていることである。第二次世界大戦までは、海軍力はほぼ経済力と正の相関関係にあり、この指標を基準に世界各国の国力順位づけを行っても現実からさほど乖離(かいり)することはなかった。

前ページの表は、長期サイクルのそれぞれの時期で、世界全体の主力艦の総トン数の10%以上か、世界の全海軍費の5%以上を一国で占める国を○印で示したものである。これを見ると、世界の主要国の変遷と重なる。

パックス・アメリカーナからパックス・シニカへ?

世界システム論が正しければ、つまり、世界が過去の歴史と同じようなコースをたどるとすれば、以下のように推論できるはずである。

第1の100年周期については、パックス・アメリカーナが成立したのが1945年であるから、それが終わるのは100年後の2045年頃である。

第2の挑戦国については、いずれかの国がアメリカの覇権にチャレンジする。

第3の「30年戦争」については、2015年頃に大国間で戦争が起き、約30年間続く。第4の国力の指標としての海軍力については、経済力が必ず軍事力に転化し、それが世界を動かしていくと考えてよい。

第1については、今でもパックス・アメリカーナは続いており、2045年頃までアメリカが覇権国であり続けると推論できる。

第2については、挑戦国はGDPでアメリカに次ぐ第2位の中国である。習近平主席は、中華人民共和国樹立から100年後に世界一の大国になることを目指して国力を増強している。覇権国がアメリカから中国に交代する。つまり、パックス・アメリカーナからパックス・シニカに代わるということになるのかどうか。

第3の大国間の「30年戦争」については、第二次世界大戦後は、米露英仏中などの大国は、いずれも核武装しており、核抑止力が効いている以上は、大国間の直接的な戦争は起こり得ないと考えるのが常識であろう。しかし、東西冷戦時代には、朝鮮戦争、ベトナム戦争と、大国間の代理戦争的な戦争は起こっている。

第二次世界大戦後の冷戦が１９８９年の「ベルリンの壁崩壊」で終わり、冷戦後の世界が始まったとすると、しばらく平和が続いた後、２０２２年2月にウクライナ戦争が勃発した。そして、２０２３年10月には、ハマス・イスラエルの戦争が始まった。これらを、21世紀の30年戦争の開始と見れば、これから２０５０年頃まで様々な戦争が続くことになる。

第4の問題は、国力の指標を海軍力とすることが妥当かどうかである。

パックス・シニカがパックス・アメリカーナに取って代わる可能性は皆無だとは言えないであろう。

なお世界システム論によれば、覇権国に挑戦する国とは別の国が次の覇権国になる。つまりアメリカに挑戦する中国ではない国が台頭するというのである。それはどの国か。インドが候補となりうるであろう。「インドの平和」(Pax Indica) は実現するのであろうか。

いずれにしても、世界システム論が正しいか間違っているかということではなく、この理論を参考にして今後の世界秩序のあり方を考察することに意義があるのである。

中国がアメリカを超える日はくるのか

国力はどのようして測るのか。軍事大国、経済大国、文化大国、資源大国などという表現があるが、国力測定のための要素には、人口、軍事、経済、金融、天然資源、文化、科学技術などが考えられる。

人口の減少

国家を構成する三要素は領土・国民・主権であるが、人口の規模は国力を左右する。世界で大きな影響力を行使するには、人口が5000万人以上であることが必要である。

世界の人口ランキング（2023年）を見ると、①インド（14億2860万人）、②中国（14億2570万人）、③アメリカ（3億4000万人）、④インドネシア（2億7750万人）、⑤パキスタン（2億4050万人）、⑥ナイジェリア（2億2380万人）、⑦ブラジル（2億1640万人）、⑧バングラデシュ（1億7300万人）、⑨ロシア（1億4440万人）、⑩メキシコ（1億2850万人）、⑪エチオピア（1億2650万人）、⑫日本（1億2330万人）となっている。世界の人口は2023年現在で80億4500万人である。人口では、中国はアメリカの4倍以上である。

次に出生率で見ると、合計特殊出生率（2021年）では、中国が1・16、アメリカが1・66、ロシアが1・49、日本が1・30である。中国の少子化は、日本よりも深刻である。この少子化傾向が続けば、国力を大きく削ぐことになる。アメリカと比較したときに、この点が中国のアキレス腱である。

強力な軍隊を持っても、兵士の数が不足するようでは戦力にならない。日本では介護保険など介護システムが充実しているが、中国はこの分野で遅れており、少子高齢化社会で親の介護が若い世代の大きな負担となっている。

中国では、国内問題として、人口減少への対応が大きな争点となっている。中国共産党は、2021年5月31日の政治局会議で、1組の夫婦に3人目の出産を認めることにした。

1979年以降、中国は人口抑制策として「一人っ子政策」を実施してきたが、少子高齢化が進み、一人の子どもが両親と祖父母の老後の面倒を見るという過酷な状況が生まれた。

そこで、中国政府は、「一人っ子政策」を緩和し、2016年に「二人っ子政策」に政策転換したが、その後も、少子高齢化に歯止めがかかっていない。合計特殊出生率は、2019年は日本が1・36、中国が1・30、2020年は日本が1・34、中国が1・28である。

そこで、「三人っ子政策」に変更したのである。そして、2022年には、日本が1・26、中国が1・09となり、日本と共に中国の少子化が進展している。

中国では、夫婦共稼ぎが普通であるが、大都市に住む若いカップルにとって生活費、とくにマンション価格の高騰は深刻な問題になっている。

また、子育て、とくに教育に費用がかかりすぎ、二人目の子どもを持つのは無理になっている。お金がなくて結婚を断念する中国人男性が増えている。

人口が減少したのでは、世界の大国として影響力を行使できなくなるが、人口世界一の座は、インドに奪われてしまった。

因みに、東アジアでは少子化が進んでおり、合計特殊出生率（2021年）は、シンガポールが1・12、マカオが1・09、台湾が0・98、韓国が0・81、香港が0・77と世界でも最低レベルである。

平均寿命（2023年、国連人口基金発表の「世界人口白書」）では、日本（男性82歳、女性88歳）、アメリカ（77歳、82歳）、中国（76歳、82歳）、ロシア（70歳、79歳）である。この点では日本が世界のトップであるが、アメリカと中国に大差はない。

経済の発展

世界のGDPランキング（2022年、IMF、USドル）によると、1位がアメリカで25兆3468億5000万、2位が中国で19兆9115億9300万、3位が日本で4兆9121億4760万、4位がドイツで4兆2565億4000万、5位がインドで3兆5347億4300万、ロシアは11位で1兆8290億5000万である。経済規模から見ると、ロシアは中国の10分の1である。中国は、日本の4倍で、アメリカに迫っている。

軍事力の増強

2023 Military Strength Ranking by Global Firepower によると、1位アメリカ、2位ロ

シア、3位中国、4位インド、5位イギリス、6位韓国、7位パキスタン、8位日本、9位フランス、10位イタリアとなっている。

軍事的に見て、ロシアがアメリカに挑戦し、次の覇者が中国という予測は根拠がある。スウェーデンのストックホルム国際平和研究所（SIPRI）は、2023年6月12日に報告書を発表し、世界の核弾頭数が1月時点で1万2512発、そのうち使用可能な状態にあるのが9576発だとした。保有数は、ロシアが5889発、アメリカが5244発、中国が410発、フランスが290発、イギリスが225発、パキスタンが170発、インドが164発、イスラエルが90発、北朝鮮が30発となっている。

米国防総省は、2023年10月19日に年次報告書を公表し、中国が5月時点で運用可能な核爆弾を500発以上保有していると推計した。上記のSIPRIの数字よりも、短期間に90発以上増えている。そして、ペンタゴンは、2030年には中国の核弾頭数が1000発以上になると予測し、急激な核戦力増強に懸念を示した。また、ICBMやSLBMの開発、サイバー攻撃能力の充実も図っているという。

人民元の基軸通貨化

自国通貨を基軸通貨とする国が覇権国である。パックス・ブリタニカの時代はポンド、今のパックス・アメリカーナではドルである。中国人民元はどうか。

世界の決済通貨を見ると、国際通貨研レポート「2022年BIS世界外国為替市場調査について~中国人民元が取引シェアで世界第5位の通貨に~」(2022年10月31日)によると、取引額で、1位ドル、2位ユーロ、3位日本円、4位ポンドだが、中国人民元は前回の8位から5位に上昇した。2019年から2022年の推移をシェアで見ると、ドルが44・1%→44・2%、ユーロが16・2%→15・3%、円が8・4%→8・3%、ポンドが6・4%→6・5%、人民元が2・2%→3・5%である。

人民元のシェアは拡大したが、基軸通貨としてのドルは揺らいでいない。人民元の取引額の増加は対ドル取引によるものが殆(ほとん)どであり、ドルのシェア低下には結びつかない。

ウクライナ戦争の影響で、ドルから人民元への移行が増えている(日本経済新聞、2023/04/10)。ロシアのみならず、サウジアラビア、イラク、ブラジルなどが人民元による決済を拡大している。このような動きが拡大し、中国の経済力がさらに増強すれば、将来、人民元が果たす国際決済通貨としての役割が大きくなろう。そして、中国が世界一の経済大国にのし上がれば、人民元が基軸通貨となる可能性もまた、あるのである。

監視社会に「幸福」はあるのか

先進民主主義国が中国を警戒しているのは、民主主義や人権といった価値観を共有していないからである。

中国は共産党による一党独裁であり、言論の自由などには大きな制限が加えられている。自由のないところには先端情報産業は発達しないというのが、ベルリンの壁崩壊のときの国際的認識であった。なぜソ連型の計画経済が自由な資本主義経済に負けたのかという問いに対する答えは、重厚長大産業は独裁国家でも可能であるが、半導体を使うような軽薄短小な技術は、言論や表現の通信の自由がないと発達しないからだ、というものであった。

実際にその通りのことがソ連で起こり、コンピューターで制御する技術については、西側に大きな遅れをとったのであった。

ところが、中国は、鄧小平(とうしょうへい)が社会主義と市場経済とを結合させた体制を標榜し、その下で大きな経済発展を遂げたのである。しかも、今日では5GやAIといった最先端技術についても世界をリードしている。トランプ政権が批判したように、中国が外国の技術を盗んだことも否定できないであろう。

しかし、それだけでは説明しきれない点もある。鄧小平による1978年の改革開放政策から40年以上が経つ。この間に多くの若者が欧米など海外で学び、優秀な研究者となって帰国している。彼らの力も大きいし、また国内に14億人という巨大なマーケットをかかえることも利点であろう。

そして、今ではスマホが全国民に行きわたり、皮肉なことにそれを武器にして中国共産党が国民を完全に監視することに成功している。そのおかげで、犯罪や交通違反などが激減し、政権批判を生業（なりわい）としないかぎり、普通の中国人にとっては、『幸福な監視国家・中国』（梶谷懐・高口康太著、NHK出版新書、2019年）が描くような「幸福な監視国家」が生まれている。それはジョージ・オーウェルの『1984年』が描くディストピアでもあるが、国民が不満を募らせているわけでもない。

その理由は、経済成長が続いているからである。中国は、鄧小平が1978年に改革開放路線を打ち出して以来、経済成長を遂げ、2010年にはGDPで日本を抜いて世界第2位に躍り出た。IMFのデータを見ると、その2010年の中国の経済成長率は10・61

%であった。

その後も、2015年までは、7%以上の成長率が続いた。2016年が6・85%、2017年が6・95%、2018年が6・95%であった。2019年は5・95%であったが、年末に新型コロナウイルスが流行し始め、2020年は2・24%となった。2021年は反動で8・45%となったが、2022年にはゼロコロナ政策で都市封鎖が行われ、2・99%に激減した。2023年には、5・2%であった。

問題は経済格差であるが、これが暴動を誘発するところまではいっていない。

先端技術による国民監視が功を奏したのは、新型コロナウイルス対応である。徹底した「検査と隔離」によって、ウイルスの封じ込めに成功した。武漢では初動で遅れをとり、感染の拡大を招いたが、その後は、感染者が出た町を全面封鎖するなど強権的手法で感染抑制に成功している。

パンデミックの場合には、感染防止のために基本的人権を抑制せねばならないのは先進民主主義国においても同じであるが、独裁の中国ではその手法が徹底している。

習近平は何を目指しているのか

習近平は、２０１３年3月に政権の座に就いた。首相には李克強を任命した。私は、その直後に北京を訪ね、要人と会見したり、精華大学で講演したりした。習近平は、当時、ロシア、アフリカを訪問したが、これは日米両国を牽制したり、アフリカでの資源を確保したりしながら、大国・強国への歩みをさらに進めようという意図があった。そして、習近平は権力を自らに集中させた。

２０１７年10月24日、中国共産党第19回党大会で、習近平政権は2期目に入った。党の行動指針に、「習近平による新時代の中国の特色ある社会主義思想」が盛り込まれた。これまで指導者の個人名が入った政治思想が党規約に入ったのは、毛沢東、鄧小平の二人のみである。習近平は、毛沢東に並ぶような権力集中に成功した。

25日には、最高指導部である政治局常務委員会の7人が決まったが、習近平派が多数を占めることになった。これまで、習近平（当時64歳）は、胡錦濤（こきんとう）派の共産主義青年団（共青団）や江沢民派と権力闘争を展開してきたが、最終的に勝利することができたのである。

ところで、次世代の後継候補である陳敏爾重慶市党委書記（習派、57歳）と胡春華広東省党委書記（共青団、54歳）は選ばれなかった。これは、習近平が3期目も権力を握り続ける意思を示したものと観測された。

因みに、汪洋副首相（共青団、62歳）も第4順位で常務委員会入りしたが、私が２０１４年４月に都知事として北京を公式訪問したときに、中南海で迎えてくれたのが彼であった。それまで安倍政権下で日中関係は膠着状態であったが、この会談で、民間交流と地方自治体間交流の再開を約束してくれたのが、この汪洋副首相であった。

国際政治の観点からは、第19回中国共産党大会の最大のポイントは、中国が強国への道をさらに進めることを内外に鮮明にしたことである。既に、ＧＤＰでは日本を抜いて世界第2位となっており、自信満々であった。

毛沢東を目指す習近平

鄧小平の開放改革路線によって豊かになった中国は、経済力のみならず、軍事力も強化している。明の時代までの中国は世界一の大国であり、近代のわずか1世紀でそうでなくっている。

なったのである。世界一の大国の復活こそが習近平の夢であり、その道を今ひた走りに走

２０１８年3月に開かれた全国人民代表大会は、国家主席と国家副主席の任期を2期10年とする制限を撤廃した。このことによって、習近平体制は盤石のものとなった。毛沢東時代の反省から、鄧小平時代には任期を2期に制限する歯止めを設けたが、この決定はそれに逆行するものである。習近平の任期は無制限になったのである。

また、習近平思想を盛り込んだ憲法改正を実現させた。習近平は閉幕式での演説で、「中国の特色ある社会主義は新時代に入った」と述べ、また「党は国家の最高政治指導力である」と宣言した。この体制は、共産党一党独裁政治であり、民主主義とは相容れない。その国が、21世紀半ばには世界一の大国になることを目指している。

２０２２年10月、中国共産党第20回党大会は、習近平党総書記の第3期を決めた。また、習近平を党の中央軍事委員会主席にも再選した。李克強の退任も決め、新体制は習近平の側近で固められた。

中国は毛沢東時代に逆戻りしているのか

自らに権力を集中させた習近平は、民主化運動を推進するような反対派を締め付け、弾圧する。毛沢東時代に逆戻りしている印象である。

19世紀半ばにアヘン戦争に敗れた清国は、イギリスに香港を割譲した。そして、99年間の租借が終わった1997年7月1日に香港は中国に返還された。当時のサッチャー首相と鄧小平と間で、「港人治港」、「一国二制度」を50年間続けることで返還の条件がまとまった。「高度の自治」を香港に認めた上で、特別行政区として中国の社会主義体制とは異なる制度を保証したものである。

私は、返還時の香港に行って、親中派、民主派双方の指導者たちと議論したが、民主派の中には将来に悲観的な政治家が多かったように記憶している。しかし、私は、中国もまた民主化しないかぎり経済発展はないので、必ず民主化すると考えていた。

香港への規制強化

ところが、その後の中国政府の動きを見ると、着々と香港の中国化を進めるべく手を打っていったのである。たとえば、立法会は親中派が多数を占める仕組みになっているし、行政長官は親中派が推薦することになっている。

このような状況に対して、市民は抗議を続けてきた。2003年には、50万人のデモを展開して、反体制派を取り締まる国家安全法を廃案に追い込んでいる。2014年には、学生らが行政長官選挙の完全民主化を求める運動、いわゆる「雨傘運動」を行い、79日間にわたって道路を占拠したが、これは市民の日常生活に不便をもたらしたために批判され、失敗に終わった。

その後、香港では、次第に北京政府の意向通りの政治が行われるようになっていった。習近平政権の香港の民主派弾圧は、1989年6月4日に起こった天安門事件と同様のものと考えてもよい。1997年7月1日の香港返還のとき、「一国二制度」がいつ反故にされるかわからないという懸念を持つ者は少なく、むしろ30年もすれば中国が西側諸国のように自由な国になっていると考える者が多かった。天安門事件は、参考にならないと思われたのである。

天安門事件後、中国は先進民主主義諸国から経済制裁を受けたが、翌年には、世界に先駆けて日本が制裁を解除した。これに続いて、なし崩し的に世界は中国との交易を再開したのである。貿易による経済的利益を重視したからである。

その後、中国の経済発展は目覚ましく、ＧＤＰでは日本を追い越した。先端技術でも日本より優位に立っている。そして、政治的には、毛沢東時代に逆戻りしたような習近平の独裁体制が強化されている。


台湾の独立は北京が絶対に譲歩できない点であるが、台湾の人々は、香港を見て、一国二制度の約束が簡単に空手形になることを再認識させられているのである。

２０２０年11月11日、香港政府によって民主派議員４人が立法会の議席を剝奪された。これは習近平政権の指示であるが、この措置に抗議して、民主派議員全員が議員辞職した。立法会の構成は、親中派が41人、民主派が21人、欠員が８人であり、民主派全員が抜けると、三権分立は機能しなくなる。

ウイグル人弾圧

国際社会から見れば、習近平政権は、香港の民主化を弾圧し、ウイグル人の人権を侵害するなどしてきており、人権という観点からは許しがたい蛮行を行っている。

中国には、人口の92％を占める漢族のほか、チベット族、ウイグル族、チワン族など55の少数民族がおり、新疆（しんきょう）ウイグル自治区、内モンゴル自治区、広西チワン族自治区、チベット自治区、寧夏回族自治区の5つの自治区がある（次ページの図参照）。これらの自治区には大幅な民族自治が許されている建前であるが、漢民族の移入、同化政策の強制など、実質的に北京による支配が強化されている。人口は少ないが、自治区の面積は中国の半分を占め、新疆ウイグルは石油や綿花、内モンゴルはレアアースなど、資源にも恵まれている。

これらの自治区が分離独立を図ることは、習近平政権としては、「大中華帝国」維持のために絶対に避けねばならないのである。そこで、「飴（あめ）と鞭（むち）」の対策を講じているが、ウイグル族にはイスラム教徒が多く、中国共産党よりも唯一絶対神アッラーを信仰し、北京の指

図10　中国に存在する5つの民族自治区

示には従順に従わない。そこで、そのような「反乱分子」に対しては国家を転覆させせようとするテロリストとして監視し、逮捕監禁するのである。海外在住のウイグル族は、中国にいる家族と連絡もとれない状況であると訴えている。

習近平による非公開演説や収容者の家族との想定問答集などの内部文書を、2019年11月16日にニューヨーク・タイムズが入手して公開した。その中で、習近平が「容赦するな」と喝破したことが暴露されている。これは「幸福な監視社会」が牙を剝くと、どのような弾圧社会になるかを示しており、世界に衝撃を与えた。

新疆ウイグル自治区は、人口が約1900

万人で、ウイグル族が45％、漢民族が41％で、その他にカザフ人、回族、キルギス人、モンゴル族などが住んでいる。石油など資源も豊富であるが、人権問題を巡って国際社会の中国を見る目は厳しくなっている。

そして、新疆ウイグル自治区で生産される綿花の輸入も差し控える動きが強まっている。世界の綿花生産量は、６４２万トンのインドが1位、中国は５９０万トンの2位で、世界シェアの25～30％を占める。そして、中国産の綿花の84％が新疆ウイグル産なのである。

欧米のアパレル業界など、企業イメージを守るために新疆綿の不使用を決める会社が増えている。日本のアパレル大手、ミズノも２０２１年5月にはボイコットに参加し、次いで三陽商会とＴＳＩホールディングスも現地で生産された綿製品の使用中止を決めた。このような動きは中国にとっては痛手である。

反スパイ法

２０２３年7月1日には「改正反スパイ法」が施行され、中国でのビジネスに関わる外国人に不安が広まっている。

2019年7月に湖南省で拘束された50代の日本人男性が、国家の安全に関わる違法行為（スパイ行為）をしたとして、2023年11月3日に懲役12年の判決が確定した。2015年以降、反スパイ法違反で17人の日本人が拘束されている。

また、2023年10月24日に全人代で「愛国主義教育法」が可決、成立した。2024年1月1日に施行された。

この法律は、「愛国主義教育は共産党の指導を堅持する」として、共産党との一党支配体制を徹底して教育することを決めている。具体的な教育内容としては、中国共産党の歴史、習近平国家主席の指導思想、優れた伝統文化などを列挙して、「偉大な祖国や中華思想、中国共産党などへの思い入れを高める」という。さらに、「祖国統一の大事業を成し遂げる神聖な責務に対する台湾同胞を含む中国人全体の意識を高める」とうたっている。台湾統一への習近平の意思を反映したものである。

習近平は個人崇拝を強化し、スターリン主義、毛沢東主義へと回帰しているようである。

中国政府の「ゼロコロナ政策」は正しかったか

２０２２年11月30日、中国の江沢民元国家主席が死去した。96歳であった。

１９８９年の天安門事件の後、当時の最高指導者鄧小平は、失脚した趙紫陽の後任として、上海市トップの市党委員会書記の座にあった江沢民を抜擢（ばってき）した。

江沢民は、鄧小平の改革開放路線を踏襲し、経済発展に辣腕を振るい、在位13年間に年平均9％という高度成長を成し遂げたのである。２００２年に党総書記を退任し、２００３年には国家主席の座からも降りた。後任は胡錦濤であった。そして、２０１３年３月に習近平にバトンタッチした。その習近平政権は２０２２年10月に３期目に入ったが、２０２３年３月には国家主席としても再選され、党・軍・国家の３つのトップを引き続き務めることになった。習近平は、毛沢東路線に先祖返りするような形で独裁色を強化しているが、その強権的な政策に対して、国民の不満が高まっている。


２０１９年末、新型コロナウイルスが中国の武漢で発生した。肺炎症状に苦しむ患者を診て、新型のウイルスである可能性とその危険性を警告する専門家もいたが、武漢当局はそれを無視し、必要な対策を講じなかった。そのために、感染が拡大し、多数の死者が出て悲惨な状況になるとともに、ウイルスの封じ込めに失敗したために、感染が中国全土、そして世界中に広がっていった。

この武漢の初動の失敗に懲りた習近平政権は、徹底した封じ込めを行った。一人でも陽性だとわかると、その感染者が住む地区全体を封鎖するという厳しさであった。

それは、「検査と隔離」という感染症対策の基本に忠実な対策であり、間違ってはいない。中世のヨーロッパでペストが流行ったときには、村全体を封鎖して、人の出入りを阻止し、周辺の村にウイルスが拡散するのを防いだ。しかし、ベネツィアのような大都市ではそのような封鎖は物理的に不可能で、感染で多数の死者が出ることになった。

中国のゼロコロナ政策は効果を上げ、欧米や日本が感染者増に悩んでいるときも、感染者の数は驚くほど少なかった。ただ、北京や上海のような大都市でゼロコロナ政策を実行するには、住民を強制させる能力を持つ独裁政権でなければ不可能である。そして、感染対策要員の確保、隔離中の食料品の提供など大きなコストがかかる。それに、経済活動が停(と)まるために、経済的にも大きな悪影響を及ぼし、それは日本をはじめ世界中に及んだ。

ゼロコロナ政策に対する国民の忍耐も限度を超え、2022年11月最後の週末には、遂に各地でデモなどの抗議活動が起こった。「習近平退陣！」、「共産党退陣！」を叫ぶ声も聞かれるなど、国民の不満が爆発した。ここまで厳しい言葉が聞かれたのは、1989年6月4日の天安門事件以来である。新疆ウイグル自治区のウルムチで起きたマンション火災で、10人が死亡し、9人が負傷した。都市封鎖のため、救助活動が妨げられたことが大惨事になった。マンションの入り口に鍵がかかっていたという。この事態に対し、ウルムチで抗議デモが始まったが、これが全土に拡大していったのである。

「検査と隔離」からの大転換

それに危機感を持った習近平政権は、12月7日に急遽政策転換を行った。「検査と隔離」という大原則をかなぐり捨てて、大規模な検査も止め、重慶市などは、無症状や軽症の場合は出勤しても構わないというところまで規制緩和をした。

ゼロコロナ政策の解除は、経済活動や人々の日常生活にとっては好ましいが、他方で感染者が爆発的に増えるという事態を招いてしまった。1日当たりの感染者が、青島市で約50万人、浙江省で約100万人というような数字が報告され、12月1～20日の感染者が2

億4800万人という政府推計も明るみに出た。これは人口の約2割という多さである。大規模な検査を中止したため、軽症者や無症状者について把握できなくなり、中国政府は新規感染者数の発表を行わないことを決めた。さらに、入国者に義務づけていた隔離措置を2023年1月8日に終了した。

中国政府の新たなルールでは、新型コロナウイルスは、分類が「甲類」から「乙類」に引き下げられ、強制隔離をしないし、民間企業や研究機関に対して新型コロナウイルスのゲノム（遺伝情報）配列の解析を当分の間行わないように指示した。問題は、データが不足して、新しい変異株が発生しても気づくのが遅れる可能性があることである。

ゼロコロナ政策が経済活動を麻痺（まひ）させ、国民を疲弊させてきたにもかかわらず、習近平政権は11月までこの政策を継続してきた。ところが、一変して規制解除である。

国民に対して強権を発揮できる独裁政権だからと言って、感染症対策に成功するわけではない。コロナウイルスが弱毒化すれば、それに相応しい対応が求められる。「政治ではなく、科学に基づいて」コロナ政策を立案せよという声がコロナ抗議デモ参加者から発せられたが、正しい指摘である。新型コロナの流行は、習近平政権の光と影を象徴している。

「不動産不況」は中国経済の危機か

２０２３年夏、日本政府は、福島原発の処理水海洋放出を開始したが、中国は、日本の水産物の輸入を全面禁止するなど、理不尽ともいえる反日キャンペーンを行い、かえって国際社会の反発を呼び、孤立した。

また、秦剛（しんごう）外交部長（外務大臣）、李尚福（りしょうふく）国防部長（国防大臣）と相次いで解任された。習近平は政権内の引き締めを図っているようだが、実態は不明である。

さらに、経済では、２０２１年半ば以降、不動産業界の不振が伝えられた。ＧＤＰ世界第２位の経済大国であるだけに、中国の不振は世界経済にも大きな影響を及ぼす。

個人消費の不振

前述したように、かつてはＧＤＰが年に7～8％程度上昇するのが普通であった中国経済が、不調になってきた。それには、ゼロコロナ政策による都市封鎖の影響もあるが、不動産不況も要因である。

まずは、個人消費が伸びていない。2023年7月の名目小売り売上高は前年同月比でプラス2・5%であり、6月のプラス3・1%よりも下回っている。賃金上昇率がコロナ禍前の水準以下であり、これでは個人消費は伸びない。

また、6月の若年（16〜24歳）失業率は21・3%という高い数値であった。将来への不安から中国人がかつてのようにお金を使わなくなっているようである。

住宅販売も減少している。不動産価格が将来下がっていくと予想している人が多いからである。実際にマンション価格は下落しており、それは不動産業界の不振と関連している。企業の設備投資も拡大していない。対米関係の悪化などにより、輸出が伸びないのではないかという懸念があるからである。

また、政府によるインフラ投資も低迷している。その理由は不動産不況であり、地方政府による土地販売の収入が減って、投資の財源が減っている。

不動産業は中国のGDPの4分の1を占めているが、この業界の2023年4〜6月期のGDPは、前年同期比マイナス1・2%である。48兆円の負債をかかえる不動産大手の「恒大集団（エバーグランデ）」が、8月18日、ニューヨークの裁判所にアメリカ連邦破産法15条の適用を申請して、世界に大きな衝撃を与えた。

6月末時点で、恒大集団の債務超過額は13兆円に膨らんでおり、販売の目途がつかない開発用不動産は22兆円にもなる。

また、最大手の「碧桂園（カントリー・ガーデン）」は、8月30日、2023年前半の最終利益が9800億円（489億人民元）の赤字に転落したことを発表した。

さらに、不動産大手、「融創中国（サナック）」も9月19日、ニューヨークで米連邦破産法の適用を申請した。同社は2021年と2022年に810億ドル（12兆円）の赤字を計上している。負債総額は6月末時点で1兆元（約20兆円）にのぼっている。

規制強化

中国では、1990年代に不動産セクターが民営化されたために、不動産業界が活性化し、2002年頃から住宅ブームが起こった。2008年のリーマン・ショックで住宅価格は一時下落したが、その後の景気回復で勢いを取り戻した。とくに2016年以降は不動産バブルというような状態になり、バブル期～バブル崩壊期の日本が再現されたような状況であった。

投機熱も加わって、不動産価格は上昇し、それで巨万の富を得た層と、高価なマンションなど高嶺の花の庶民との格差が広がり、儲け話に乗る人々の投資熱が続いた。習近平は、この状態を危惧し、「共同富裕」をスローガンに格差是正に取りかかったのである。

2020年夏に、マネーの蛇口を閉める日本の総量規制と同じ対策を発動した。中央銀行は、不動産企業に対して、①総資産に対する負債の比率が70%以下、②自己資本に対する負債比率が100%以下、③短期負債を上回る現金を保有しているという3つの財務指針（「三道紅線（3つのレッドライン）」）を設定したのである。

2021年1月には、金融機関の住宅ローンや不動産企業の融資に総量規制を課した。借金でマンションを作り続けるという不動産業界の従来型ビジネスモデルが立ち行かなくなり、資金不足のため途中で建設工事を中断する事例が続出した。その結果、代金を払ったにもかかわらず、新築マンションを入手できなくなった国民の不満が爆発した。

前述した恒大集団は、既に2021年9月に経営危機に陥っており、そのニュースが世界に流れたため、9月20～21日、世界中で株価が下落した。

恒大集団は、2020年に習近平政権が発動した基準をクリアできず、銀行も融資を控えたため、資金繰りが上手くいかず、建設が中断する工事現場も出てきたのである。不動産投資で大きく成長し、中国有数の企業に成長した恒大集団は、この時点で既に33兆円の負債をかかえていたが、これは中国のGDPの2％にも相当する巨額の債務である。

習近平政権にとっても「大きすぎて潰せない（too big to fail）」状況であったが、下手に救済すれば、富裕層を叩き広範な中間階級を生み出すという「共同富裕」政策に逆行することになる。しかし、放置すれば金融危機を引き起こすことになり、それは中国経済のみならず、世界経済に悪影響を及ぼす。習近平は、そのジレンマに直面したのである。

日本のバブルとの比較

中国も、日本と同じように低迷の30年、デフレの30年に突入するのであろうか。

日本の場合、バブルの崩壊は金融部門に大打撃を与え、不良債権処理に追われる金融機関の破綻が相次いだ。しかし、現在の中国では、大手国有銀行の自己資本比率は13～20％と高く、また、不動産事業への貸し出しも全体の融資の6％である。これでは、銀行は破綻しない。

不動産開発業者の債務は、銀行からの借り入れよりも、建設会社などへの未払金である。この点でも、日本のバブル崩壊と違う。

ただ、「3つのレッドライン」という規制をこのまま続けていけば、不動産業界の苦境は続く。習近平が考えているのは、不動産開発企業を倒産させずに、マンション購入者に確実に物件を引き渡すことである。

中国の場合、問題は地方財政である。地方政府は不動産開発業者に土地（その使用権）を販売し、その収入でインフラの整備を行ってきた。しかし、不動産不況で予期した収益を得ることができず債務が膨らんだ。累積債務は100兆元（2000兆円）にものぼる。

中央政府は地方政府の債券発行を規制したが、地方政府は抜け道として「融資平台（プラットフォーム）」という投資会社を設立し、資金調達を続けた。融資平台は全国で1万社を超える。融資平台は地方政府が返済を肩代わりする。その点では、地方政府の債務と同じである。最終的には、中央政府の財政出動で救済できる。習近平政権は、財政赤字を拡大させても、この問題を解決せざるを得ないだろう。

中国では、経済が順調であれば、共産党は独裁を維持できる。そのためには、習近平政権は、あらゆる手段を講じる。経済不振を解消するには、2、3年必要だろうし、かなりの荒療治も行わねばならない。しかし、日本と違って、独裁国家だからこそ、それは可能である。以上の考察から、治療には時間がかかるにしろ、中国経済が今すぐ崩壊することはないと判断する。

中国社会には、高度経済成長時代のような躍動感が見られない。人々は諦めにも似た感情を抱いており、「ゴロゴロ寝て、何もしない」のが流行のようになっている。

習近平政権は、国民に夢と希望を与えることができるのであろうか。

習近平の問題は、父親を不当に遇した鄧小平への怨念もあって、毛沢東路線に回帰していることである。これが、民間が活躍する自由な経済活動を阻害している。それがいつまで続くのか。一時的に危機は回避できても、最終的には今の習近平路線のままでは、中国経済の破綻は免れないであろう。習近平が倒れるか、中国が崩壊するかの分水嶺が数年後にやって来る。

第6章

民主主義は「幻想」にすぎないのか

1989年に米ソ冷戦が終わった後、民主主義国家が増加したが、21世紀になると、次第に権威主義国家のほうが民主主義国家よりも勢いを増してきた。とくに中国の経済発展がその傾向に拍車をかけている。民主主義国家の問題は、政策決定に時間がかかりすぎることであり、迅速性、効率性では独裁国家に敵わない。

しかし、基本的人権を守る政治体制、自由な社会は維持していかなければならない。そのためにも、自由な社会の敵となる思想や政治勢力について研究する必要がある。経済学者ハイエクが言うように、ヒトラー、ムッソリーニ、スターリンという3人の独裁者の思想は、自由な社会の典型的な敵である点で共通している。

ヒトラーはナチスという政党を立ち上げ、民主的な選挙で第一党になり、1933年1月に政権に就いた。この政党の主張をナチズムと呼ぶ。

ムッソリーニもまた、議会制民主主義の仕組みによって、1922年10月に首相となった。彼はファシスト党を作り上げたが、その思想はファシズムと呼ばれる。

ヒトラーもムッソリーニもいったん政権を掌握すると、独裁への道を突き進んだ。ナチズムもファシズムも国民の自由を剝奪し、国家による計画経済、統制経済を手法とした。

スターリンは、マルクスが唱道した共産主義を信奉し、自由を許さない共産党の一党独裁を貫いた。

第二次世界大戦後も、民主主義体制の中からエリートの統治に不満を持つ大衆の反乱が続いた。近年の例では、２０１６年６月の国民投票で決まったイギリスのＥＵ離脱であり、２０１７年１月のアメリカにおけるトランプ大統領の誕生である。

このようなポピュリズムが自由な社会の墓掘り人となる可能性があることに注意する必要がある。

そして、新型コロナウイルスのような感染症は、ロックダウンなどで人々の自由を奪ってしまう。それだけに、これからは感染症との戦いが重要になってくる。

民主主義は縮小しているのか

21世紀になってから、世界で民主主義が力を失っている。

イギリスのオックスフォード大学の研究者らが運営する「アワー・ワールド・イン・データ（Our World in Data）」が2022年夏に公表した調査よると、過去10年間に民主主義国家に住む人口は2割以上も減り、全体の29・3％となった。権威主義国家（政治的権力が一部の権力者に集中している国家）に住む人口は70・7％と、実にその倍以上である。

民主主義の拡大こそ人類の進歩と確信していた者にとっては、ショッキングなデータである。

私は、独裁のような権威主義を、民主主義に対抗するシステムとして位置づけている。しかし、民主主義そのものが民主主義の墓掘り人となることがある。

ヒトラーの率いるナチスを政権の座につけたのは、当時の世界で最も民主的な憲法を持っていたワイマール共和国である。また、21世紀になって先進民主主義国で猛威を振るっているポピュリズムも民主主義を破壊する。

そこで、本章ではそのことを強調するために、民主主義ではなく、「自由な社会」という言葉を使い、その敵について論考する。

最初は現代の独裁である。私は、第一次世界大戦と第二次世界大戦の間の時期の国際関係史を研究するために、若い頃、ヨーロッパ諸国に留学した。研究対象は、アドルフ・ヒトラーやベニート・ムッソリーニやヨシフ・スターリンが政権に就いた時期である。

私の関心は、20世紀にもなって、人々はなぜこのような独裁者をリーダーに選んだのか、そして独裁者たちはどのような手段で国民を統治したのかという点にあった。そこで、欧州にわたり、一次資料に当たったり、ナチスの強制収容所を訪ねたりして、研究を重ねてきた。

その研究成果は、『ヒトラーの正体』、『ムッソリーニの正体』、『スターリンの正体』（いずれも小学館新書）という本にまとめて出版しているので、参照してほしい。

ヒトラーはいかにして権力を握ったか

まずヒトラーであるが、大衆によって最高指導者に選ばれたこのナチスの総統は、政権を掌握すると、独裁を開始する。ナチスの思想と政策、そしてその独裁の手法をナチズムと呼ぶが、ヒトラーは大衆の自由を次々に奪っていく。

1920年2月にナチス、正式にはNSDAP（Nationalsozialistische Deutsche Arbeiterpartei 国民社会主義ドイツ労働者党）は、「25カ条の綱領」を発表した。その内容は、屈辱的なヴェルサイユ条約によって削られた領土の回復、大ドイツ国の実現、ヴェルサイユ条約によって禁じられた徴兵制の復活・再軍備、ドイツ人の血を引く者のみがドイツ国民である（ユダヤ人から公民権を剝奪する反ユダヤ主義）という主張、利子奴隷制の廃止、財閥の国有化、小企業の保護、貧困家庭の教育費国庫負担、幼年労働の禁止などである。

ヒトラーは、1933年1月に首相になった2日後、第一次4カ年計画を発表し、公共事業によって失業を解消すること、価格統制によってインフレを抑制することを宣言した。

ヒトラーが政権に就いた当時は600万人もの失業者がいたが、ヒトラーは国民に「4年間で失業を解消する」と約束した。そして、3年後には公約を実現したのである。しかも、インフレもなく、物価も安定したままであった。

しかし、この手法は国家による計画経済、統制経済であり、自由経済とは対極の政策である。それは財政支出による公共事業によって雇用を創出しようとするケインズ的手法である。

注意すべきは、武力ではなく、民主主義、つまり投票によってヒトラーという20世紀の独裁者が誕生したことである。

第一次世界大戦で敗北し、ヴェルサイユ条約によって過酷な賠償金を科せられ、ハイパーインフレで生活が破壊され、領土は奪われ、軍備は縮小され、ドイツ人は民族の誇りをいたく傷つけられた。その不満が、ヴェルサイユ条約をこき下ろし、経済を支配するユダヤ人の陰謀を暴露するヒトラーのプロパガンダを受け入れやすくする素地を作ったのである。

自由からの逃走

ヒトラーを信奉する大衆の心理状況はどうだったのか。自由というのは素晴らしいものであるが、自由にはリスクが伴うし、自分で判断することによる不安、孤独感なども生まれる。その不安から逃れるためにヒトラーの指示に従う大衆の心理メカニズムを明らかにしたのが『自由からの逃走』（エーリッヒ・フロム著、日高六郎訳、東京創元社、1951年、原著1941年）である。フロムはユダヤ人でドイツの大学教授であったが、ナチスが政権をとった1933年にアメリカに亡命し、この本を書いた。

大衆は、1929年の世界大恐慌のような困難な状況に直面すると、奮起して努力し、次なる目的に進む（「〜への自由」、積極的自由）のではなく、むしろ自由から逃れる（「〜からの自由」、消極的自由）ことを考えるようになり、ヒトラーに隷属する道を選ぶ。

さらに、孤独感・無力感に苛（さいな）まれた個人は、自分と比較しなければならない対象を破壊し、除去しようとする。とくに、自分よりも豊かな階層に対する羨望を抱いた「下層中産階級の破壊性が、ナチズムを勃興させる重要な要因となった。ナチズムはこれらの破壊的追求に訴えて、それを敵に対する戦いに利用した」（p202）のである。

またベルリンオリンピックやナチスのニュルンベルク党大会で、何十万人もの大衆が右手をあげて一斉に「ハイル　ヒトラー！」と挨拶したが、そうすることでほかの人々と全く同じようになり、孤独や無力を感じることがなくなる。カメレオンのように周囲と区別がつかなくなり、「個人的な自己をすてて自動人形となり、周囲の何百万というほかの自動人形と同一となった人間は、もはや孤独や不安を感ずる必要はない」（p204）のである。

ヒトラーによる「人間の国有化」

ヒトラーは人間を「国有化」した。国有化された人間に自由はないが、大都会の原子化された人間が感じるような疎外感はなくなる。セバスチャン・ハフナーは、「自由と疎外は、おなじメダルの裏と表のようなものだ。共同体には規律がつきまとう。〔……〕国有化された人間と、孤独な個人主義に生きる人間と、どちらが幸せか」（『ヒトラーとは何か』セバスチャン・ハフナー著、瀬野文教訳、草思社文庫、2017年、p80～81）と問うている。

現実に不満を持ち、伝統的な絆や組織から切り離され、根無し草となった個人は無力感、孤独感に苛まれる。そのような心に、ヒトラーのプロパガンダが浸透していき、自由で孤独な個人主義よりも、自由を捨てて集団に埋没するほうを好むようになる。

そして強力な指導者である総統に従っていく。自由に自ら思考を巡らすこともなく、ただヒトラーの指示通りに動くが、それはいやいやながらではなく、歓喜の念を持った行動である。何十万人という仲間との一体感、それ以上の安心感はない。

このような大衆が民主的な選挙でヒトラーのナチスを第一党に押し上げ、ヒトラー首相を誕生させたのである。しかし、1933年に政権の座に就くと、ヒトラーは独裁への道を一気に進んでいき、自由な社会を窒息させた。政権を批判する者は弾圧され、言論の自由も集会結社の自由も死滅した。そして、ナチスの反ユダヤ主義は、600万人ものユダヤ人を虐殺するという悲惨な結果をもたらした。ナチズムが自由な社会の敵であることは明らかである。

ファシズムとは何か

ヒトラーが師と仰ぎ、政治の手法を真似たのがイタリアの独裁者ムッソリーニである。社会主義者として政治活動を始めたムッソリーニは、第一次世界大戦のときにイタリア社会党が絶対的中立に固執したため、党と決別し、同盟国であるオーストリア・ドイツ側ではなく、対抗するイギリス・フランス・ロシア側陣営に参加して戦うことを主張する。

1914年12月には「革命的行動ファッシ（Fasci d'azione rivoluzionaria）」という組織を発足させた。これがファシズムの原点だが「ファッショ」とはイタリア語で「束（たば）」という意味で、単数形がfascio（ファショ）、複数形がfasci（ファッシ）である。

第一次世界大戦は、労働者の国際連帯による革命やインターナショナリズムへの幻想を打ち砕き、ムッソリーニをナショナリストへと方向転換させた。第一次世界大戦後の1919年3月、ムッソリーニらは「イタリア戦士のファッシ（Fasci italiani di combattimento, FIC）」というファシズム運動の全国組織を立ち上げる。

社会主義的政策

1919年6月にはファシストの綱領が発表されるが、その内容は、女性を含む18歳以上の全員に参政権、選挙制度は比例代表制、下院議員の被選挙権を31歳から25歳に引き下げる、王室・上院・世襲の称号を廃止、下院を国民議会に編成替え、8時間労働制、労働者の経営参加、戦時利得の85％を没収、教会資産の没収、富裕者の土地収用、資本に対する累進課税、フィウメとダルマツィアの併合などである。

ファシストのほうがナチスよりも1年早く旗揚げしたのであるが、綱領を見るかぎり、ナショナリズムとともに反教会、富裕層から労働者を守るなど社会主義的特色が目立つ。

この点では、ヒトラーも似たような考え方だった。ナチス党の正式名称は、「国民社会主義ドイツ労働者党（NSDAP）」であるが、まさに、その名の通り、ナショナリズム、社会主義、そして労働者のための党とうたっている。極右というイメージとは大違いで、セバスチャン・ハフナーは、ヒトラーを「左翼的ポピュリスト」と位置づけ、「どこを見ても右翼というより、左翼的性格が濃厚であった」と記している（p114）。

19世紀から20世紀へ時代が転換し、第一次世界大戦という列強間の覇権争いに、ムッソリーニもヒトラーも兵士として参加した。イタリアは戦勝国、ドイツは敗戦国として戦争を終えるが、戦争への関わり方、戦後処理への怒りなどが、二人のその後の政治家としての歩みを決める。

イタリアは、勝者として戦争を終えたが、領土の回復も思うようにならず、戦後に待っていたのは苦しい生活であった。その国民の不満を背景に、ムッソリーニは、ファシズム運動を展開し、１９２１年5月の総選挙で国会議員に当選した。

ファシストに惹かれていったのは、失業や不況に苦しむ元将校、公務員、商店主、学生などであった。

ムッソリーニは、１９２２年10月にファシストによるクーデターともいえるローマ進軍を敢行した。議会政治の枠外からの権力追求であったが、左翼の台頭を恐れる国王は、ムッソリーニに組閣を命じるのである。

マッテオッティ暗殺事件

こうして、ムッソリーニは議会制の枠内で権力掌握に成功する。しばらくは民主的な議会運営を行っていたが、1924年6月に統一社会党書記長のマッテオッティが暗殺され、ファシストによる犯行だと判明したため、ムッソリーニは苦境に陥る。その状況を打開するために、翌年の1月、ムッソリーニは下院で演説し、議会を休会し、独裁を宣言した。

12月には、首相の名称を「政府の首班でファシズムのドゥーチェ（Capo del Governo e Duce del Fascismo)」に変更し、ムッソリーニが就任した。立法権も首班に属することにし、議会から立法権を剝奪した。

ジェンティーレはムッソリーニとファシズムを同一化し、哲学者として全体主義的思想統制の先頭に立ったが、彼が1929年に書いた『ファシズムの起源と教義』が、1932年にムッソリーニとの共著で『ファシズムの教義』という小冊子にまとめられた。

その中で、「ファシストにとっては、全てが国家に存し、国家を離れては、人間的、精神的なもの、そしていかなる価値も存在しない。その意味で、ファシズムは全体主義的であり、全ての価値を統合するファシスト国家は、人々の全生活を解釈し、発展させ、支配する」と記されている。

ファシズムは、共産主義も資本主義も否定し、階級闘争を終わらせると主張する。経営者も労働者も協力し国家を支えるべきだという考え方である。国家を身体にたとえ、各部位が一緒になって人間の身体になるように、個人や団体が有機的に協力して国家を形成するという思想である。ムッソリーニは、財界と労働組合をファシスト体制に取り込んでいった。この考え方は、国家主導の経済運営であり、自由な経済とは異質なものである。

忘れてはならないのは、ムッソリーニもヒトラーも、当時の憲法に従って合法的に政権に就いたということである。ムッソリーニの場合は、国民大衆が支持したというよりは、社会党などの左翼の台頭を恐れる保守陣営が、政党間の駆け引きでムッソリーニを妥協の産物として首相に選んだというのが実態であった。

ムッソリーニは、武力行使を行う実力部隊を持っていた。この私兵組織は、兵が着用した黒シャツに因んで、「黒シャツ隊（camicie nere）」と呼ばれた。ヒトラーはこれを真似て、「褐色シャツ隊（Braunhemden）」を作るが、これが突撃隊（SA：Sturmabteilung）である。

中間層の不安を解消

ムッソリーニやヒトラーの成功は、不安に駆られる中間層を取り込んだことにある。階級対立を煽る立場である社会党や共産党は、中間層をブルジョアジーの手先のように批判して拒否するが、中間層にとってはプロレタリアートに没落することが心配なのである。彼らはマルキシストに反発するが、誰にすがってよいのかわからず、動揺し、不安になってしまう。

その間隙を突いたのがムッソリーニで、階級闘争を否定し、中間層が社会的階段をのぼっていくのを支援する姿勢を示した。中間層は自分たちの立場を理解する指導者を見出した。

ムッソリーニやヒトラーは、この中間層の不安を解消したからこそ、政権を掌握できたのである。政治学者シグマンド・ノイマンは、「ファシズムの社会的基盤」として、（1）安定を欠いていた「新中間層」、（2）よるべなき失業者、（3）脱落者や帰還軍人の戦闘的分子などをあげている。そして、新中間層について、「このホワイトカラー階級は、身にせまる危険を自覚していたという点で、一そう不幸な運命を荷っていた。すなわち彼等は大資本と労働との中間にあって、常にこれら二つの社会勢力に圧しつぶされる危険にさらされていた」と述べている（『大衆国家と独裁：恒久の革命』シグマンド・ノイマン著、岩永健吉郎他訳、みすず書房、１９６０年、ｐ１０９）。

共産主義とは何か

ムッソリーニやヒトラーは、民主的な選挙で代表を選ぶ議会制民主主義の中から、正当な手続き（ルール）に従って首相に選ばれたが、スターリンは議会制民主主義が生み出した独裁者ではない。人類史上初の社会主義革命である1917年のロシア革命が世に送り出した独裁者である。ボリシェヴィキによる暴力革命を主導したのがレーニンであり、自由を許さない一党独裁体制を樹立した。そのレーニンが1924年に死去すると、スターリンが権力を継承し、レーニン以上の恐怖政治を行ったのである。

「プロレタリアートの独裁」を唱え、共産主義を世界に喧伝するマルクスの考え方の基本が、民主主義の否定、暴力の肯定、独裁であり、そのドグマを信じて、行動に移したのがレーニンやスターリンである。彼らは、マルクスの著作を聖書のように敬い、共産主義という教義で世界を染めようとした。

カール・マルクスとフリードリヒ・エンゲルスが1848年に著した『共産党宣言』は、「ヨーロッパに幽霊が出る——共産主義という幽霊である」（大内兵衛・向坂逸郎訳、岩波文庫、1951年、p37）という文章で始まる。そして、第一章「ブルジョアとプロレタリア」の冒頭には、「今日までのあらゆる社会の歴史は、階級闘争の歴史である」（p38）と記されている。

また、第二章「プロレタリアと共産主義者」には、「プロレタリアの独裁」を目指すことを、次のように明言している。

「労働者革命の第一歩は、プロレタリア階級を支配階級にまで高めること、民主主義を闘いとることである。

プロレタリア階級は、その政治的支配を利用して、ブルジョア階級から次第にすべての資本を奪い、すべての生産用具を国家の手に、すなわち支配階級として組織されたプロレタリア階級の手に集中し、そして生産諸力の量をできるだけ急速に増大させるであろう。

〔……〕

発展の進行につれて、階級差別が消滅し、すべての生産が結合された個人の手に集中されると、公的権力は政治的性格を失う。本来の意味の政治的権力とは、他の階級を抑圧するための一階級の組織された権力である。プロレタリア階級が、ブルジョア階級との闘争のうちに必然的に階級にまで結集し、革命によって支配階級となり、支配階級として強力的に古い生産諸関係を廃止するならば、この生産諸関係の廃止とともに、プロレタリア階級は、階級対立の、階級一般の存在条件を、したがって階級としての自分自身の支配を廃止する。

階級と階級対立とをもつ旧ブルジョア社会の代りに、一つの協力体が現れる。ここでは、各個人の自由な発展が、すべての人々の自由な発展にとっての条件である」(p68～69)

さらに、『ゴータ綱領批判』(西雅雄訳、岩波文庫、1949年、原著、1875年のマルクスの手紙などを1891年にエンゲルスが出版)の中で、マルクスは、「資本主義社会と共産主義社会との間には、前者から後者への革命的転化の時期が横たわる。それにはまた一つの政治過渡期が照応し、この過渡期の国家はプ、ロ、レ、タ、リ、ア、ー、ト、の、革、命、的、独、裁、以外の何物でもありえない」(p40)と述べている。

マルクスやエンゲルスは、最終的には階級対立もなく、支配者もいない理想社会が生まれるという余りにも楽観的なユートピアを描いているが、その過程でプロレタリアの独裁が必要だというのである。現実には、レーニンやスターリンのような独裁者が現れて、人民を弾圧する恐怖政治を行うのである。単純な階級闘争理論で煽り、プロレタリアの独裁を称える共産主義、マルクス主義の思想が自由な社会の敵であることは明白である。

三つの思想の共通点

ヒトラーもムッソリーニも、スターリンが信奉し、実行した共産主義、ボリシェビズムに反対する立場を鮮明にした。しかし、人間の自由、基本的人権を認めない点では3人は共通している。ナチズムも、ファシズムも、共産主義も自由な社会の敵である。

大衆を洗脳するためのプロパガンダ、政敵を弾圧するための秘密警察、見せしめの処刑、基本的人権の抑圧など、3人の独裁者には共通点が多々ある。

ヒトラーは600万人のユダヤ人を虐殺したが、スターリンは1000万～2000万人を死に追いやった。殺した人間の数で序列をつければ1位がスターリン、2位がヒトラー、3位がムッソリーニとなる。

スターリン時代のソ連を訪ねた、フランスの作家アンドレ・ジッドは『ソヴィエト旅行記』（國分俊宏訳、光文社古典新訳文庫、2019年、原著1936年）という本を出しているが、スターリニズムを冷静に観察している。それを以下に掲げてみよう。

「スターリンがいつも正しいとしたら、それは、スターリンがすべての権力を掌握しているということに過ぎない。

〈プロレタリアの独裁〉、それが、人々がわれわれに約束したものだった。だが私たちはそれから遠いところにいる。確かに独裁というのはそのとおりだ。だがそれは一人の男の独裁であって、団結したプロレタリアたちの独裁でもなければ、ソヴィエトの独裁でもない。騙されてはならない」（p94〜95）

「今日、ほかのどんな国でも――ヒトラーのドイツでさえ――このソ連以上に精神が自由でなく、ねじ曲げられ、恐怖に怯え、隷属させられている国はないのではないかと私は思う」（p182）

「ソ連では、単に自由な批判をしたり、自由な思想を持っていたりするだけで、『反対派』と呼ばれる」（p238）

誰が「自由な社会の敵」なのか

私は、若い頃、フリードリヒ・ハイエクら自由主義経済学者たちが1947年に創設したモンペルラン協会（MPS）に所属していたことがあり、ハイエクやミルトン・フリードマンと交流した。二人ともノーベル経済学賞の受賞者である。

アルゼンチンでは、2023年12月10日にハビエル・ミレイ新大統領の就任式が行われたが、彼はハイエクやフリードマンの信奉者である。

彼は、中央銀行を廃止し、法定通貨をドルにする、銃の所持や臓器売買や麻薬を合法化する、人工妊娠中絶に反対するなどと主張しているので、変人だとみなされ、過激なことを言うので、「アルゼンチンのトランプ」と呼ばれている。

ミレイの主張の根幹は、政府の仕事を可能なかぎり削減し、民間に任せるということである。アダム・スミスの言う「小さな政府」論であり、経済活動への政府の介入を最小限にし、市場原理に基づく自由競争を進めるほうが経済は成長するという考え方である。

そしてそれは、政府は治安維持（警察）や国防（軍隊）に役割を特化するべきだという

「夜警国家論」となる。

「中央銀行の廃止」という主張は過激なように見えるが、実はさほど荒唐無稽なものではない。ハイエクは中央銀行の廃止を訴え、『貨幣発行自由化論』（村井章子訳、日経BP、2020年、原著1976年）という本を書いている。それは、貨幣の発行の独占権を政府・中央銀行から取り上げ、民間の競争に委ねるべきだという主張である。中央銀行が貨幣発行権を独占すると、インフレを起こしてしまうので、民間に競争させると価値の減っていく通貨は人々から選ばれなくなり、通貨の価値が安定するというのである。

そのハイエクは、共産主義も、ファシズムやナチズムと同様に、上からの計画・統制という点で、自由な社会の敵であることを指摘する。1944年に著した『隷属への道』（西山千明訳、春秋社、1992年）の第2章「偉大なユートピア」の中で、〈ファシズムと社会主義は同根のイデオロギーである〉という見出しで、この問題を論じている。

「あまり知られてはいないが、一九三三年以前のドイツや一九二二年以前のイタリアでは、共産主義者とナチスやファシストたちとの間には、ほかのどの党派間にもまして頻繁な衝突があった。これらの政党は、同じようなタイプの心を持った人々の支持を獲得しようと争っていて、それぞれ相手を異端者のように憎悪していた。だが彼らの実際の活動は、彼らが互いにいかに似通っているかを示していた。そしてこれらの両者にとって本当の敵は、古いタイプの自由主義者であった。というのも、自由主義者は、彼らと共通の考え方をまったく持っていなかったため、説得できる可能性が完全にない人々だったからである。ナチスにとっては共産主義者が、共産主義者にとってはナチスが、そしてその両者にとっては社会主義者が、味方に転向させるべきターゲットなのであり、それぞれは相手を、正しい資質を持っていながら偽りの予言に欺かれていると考えている。だが、共産主義者もナチスも、個人的自由を信奉している人々との間には妥協の余地がないことを知っているのだ」（p32）

ハイエクは、ナチズムもファシズムも共産主義も、自由とは全く無縁であることを、その時代を生きた人間として、力説しているのである。

ポピュリズムとは何か

自由な社会の敵として、ポピュリズムを取り上げる。大衆が、政治を取り仕切る政治家や高級官僚などのエリートが自分たちの利益を代弁していないと感じたとき、その不満を既成の政治を覆すことによって解消しようとする。そのときに、大衆の力を結集する政治家が現れ、大衆を扇動して人気を博し、権力の獲得を目指す。それがポピュリストである。

近年のポピュリズムの典型例は、イギリスのEU離脱とトランプ大統領の誕生である。

イギリスのEU離脱

イギリスは、2016年6月23日に行われた国民投票でEUからの離脱を決めた。当時のキャメロン首相は、離脱が多数派となることは絶対にないという確信の下で国民投票という選択をしたし、離脱に票を投じた有権者も、ほぼ同じ思いであり、いわば「遊び半分」のつもりで「面白いから、離脱に票を投じてみよう」という考えであった。それだけに、離脱が決まったらどのような手続きで実行に移すかなど念頭に置いていなかったのである。

そのツケは大きく、第1に、日本を含む外国の企業のみならず、イギリスの企業もイギリスから去っていくなど、イギリス経済に大きな打撃を与えている。それは、EUについても同様で、Brexit（ブレクジット）対策のコストは大きなものとなっている。

政治的にも、離脱騒動で、イギリスもEUも国際社会における存在感を大きく減じてきた。

EU単一市場からイギリスが離脱し、アメリカや日本と個別にFTAを結んでいけば、EUと競合するブロックが生まれることになる。Brexitは、イギリスにもEUにも、政治的にも経済的にも大きなマイナスとなっている。

二次にわたる世界大戦の発端となったヨーロッパは、戦争のない世界を作るためにEUを結成したが、移民排斥などの排外主義的勢力が力を増している。イギリスのEU離脱の背景には、ポーランドをはじめとする東欧諸国からの移民の流入があり、低賃金で働く彼らがイギリス人の職を奪っているという不満がある。

国境なき世界こそ戦争阻止につながるという理想は、移民の流入がもたらす諸問題を前にして潰え去ってしまった。EUから離脱するイギリスは、EUからの移民を締め出す権利を手に入れる。内向きなヨーロッパでは、第二次世界大戦前夜のような反ユダヤ主義をはじめとする人種差別が横行するようになっている。

Brexit とともにEUの理想まで失われようとしている。

第2は、イギリスの政党政治の伝統的な枠組みが崩壊したことである。従来は、保守党と労働党という二大政党が、単純化して言えば、「小さな政府」と「大きな政府」という政策の選択肢で競ってきた。ところが、EU離脱か残留かで、保守党も労働党も二分されてしまった。旗幟を鮮明にしているのは、残留派の自由民主党やスコットランド民族党、離脱派の Brexit 党である。

選挙の予測が立てにくいのは、たとえば伝統的な労働党支持者が離脱を主張する保守党に投票するというようなケースや、その逆に保守基盤で残留を掲げる労働党候補が優勢になるケースが多々あるからである。多くの国民は、EU離脱騒動にうんざりしたのである。因みに、EU側もイギリスの「決められない政治」に辟易し、2020年1月末に離脱が決まったことに安堵したのである。

第3は、北アイルランドに対する措置が問題を孕んだものであり、アイルランド紛争の再燃が懸念されることである。アイルランド島は12世紀にイギリスの支配下に入ったが、１９４９年には南部26州がアイルランド共和国として独立した。北部６州は英領にとどまったが、住民はアイルランド派とイギリス派に分かれ対立している。

主たる理由は宗教であり、カトリックがアイルランド共和国への併合を主張するナショナリスト（共和派）でＥＵ残留、プロテスタントがイギリス統治の継続を求めるユニオニスト（イギリス派）でＥＵ離脱である。政党は、前者がシン・フェイン党、後者が民主統一党（ＤＵＰ）である。

１９６９年に紛争が始まり、１９９８年のベルファスト合意で両派により構成される自治政府が成立し和平に至ったが、それまでに約３５００人が死亡している。カトリック系のアイルランド共和国軍（ＩＲＡ）のテロ活動はよく知られている。そして、２０１７年１月には再び両派が対立し、自治政府は機能を停止した。２０２０年１月には、自治政府の再開が決まったが、２０２２年５月の北アイルランド議会の選挙ではシン・フェイン党が第一党に躍進したため、ＤＵＰが組閣に抵抗し、政治空白が続いた。その後、英国本土と北アイルランドの通関手続きが簡素化されたため、２０２４年２月３日にシン・フェイン党から初めて首相が選ばれ、自治政府が再開された。

北アイルランドの両派とも、Brexitによって英本国に裏切られたという思いが強く、それは連合王国（United Kingdom）の解体への一歩となるかもしれない。

Brexit騒動は、以上のような問題を生み、イギリス社会を分断させてしまった。軽はずみに国民投票を決めたキャメロン元首相の歴史的責任は重い。連合王国の解体をはじめ、大きな負の遺産を残すことになるかもしれない。

離脱というハードルを乗り越えて、今よりも強い、そして今よりも豊かなイギリスを見ることができる日がいつ来るのであろうか。「ポピュリズムのツケがいかに大きいかを世界に知らせただけでもBrexitは価値があった」とでも自虐的に言うしかない。

2016年の国民投票では、面白半分にEU離脱に賛成した人々も、その後の経済情勢の悪化を前にして、間違った判断をしたと後悔しているという。ポピュリズムのなせる失敗である。

トランプ大統領の誕生

ポピュリズムの典型的な2番目の例は、2017年1月20日にアメリカの第45代大統領に共和党のドナルド・トランプが就任したことである。

トランプは、「アメリカ第一主義」を掲げ、「アメリカを再び偉大な国にする」とうたって、TPPからの離脱、NAFTAの再交渉、保護関税など保護主義的な政策を繰り出した。

トランプは、2500万人の雇用を創出し、「アメリカ製品を買い、アメリカ人を雇用する」と声高に叫んだが、それは不法移民などによってアメリカ人の職が奪われていると考えたからである。

ポピュリズムはなぜ台頭してきたのか。フランスの経済学者トマ・ピケティは、先進国の大衆が、「グローバル化の進展と格差の拡大」を前にして、「取り残された」という気持ちを持ったからだという(Thomas Piketty, Vive le populisme! Le Monde, 15-16 janvier 2017)。

まさに、反グローバル化、自国第一主義の訴えこそが、大衆を動員しているのである。

国境を閉ざせば、移民もやって来ないし、自国製品より安価な外国製品が流入しない。経済学的に全くのナンセンスな主張が、欧米先進国の首脳から展開されるのは異常としか言いようがないが、これこそが民主主義のコストである。

今日の世界で、人、モノ、カネ、情報の自由な流れを規制することは、一般的に言えば、世界経済の発展と繁栄と平和に対する阻害要因となる。それは、第二次世界大戦に至るブロック経済化の経験からも自明である。しかし、一方でテロリストが国境を越えて活動し、安価な外国製品の流入が国内の雇用を奪い、為替相場の変動が国内産業に影響を及ぼすこともまた事実である。

そして、そのネガティヴな側面のほうが、大衆にはわかりやすいからこそ、反グローバリズムに抗することが政治的に難しくなるのである。

ポピュリズムは格差と関連がある。2023年1月、国際NGOのオックスファム(Oxfam)は、2020年に世界の貧困層の比率が25年ぶりに上昇したと発表した。2021年末までの2年間で上位1%の富裕層が得た資産が、残る99%の獲得資産の約2倍にのぼるという。

オックスファムは貧困と不正を根絶するための支援活動を行っている団体であるが、格差が「社会を分断する脅威」となるレベルにまで拡大していると懸念を表明している。トランプ大統領の誕生は、アメリカ社会の分断を世界に印象づけた。

まさに、ポピュリズムの背景にあるのが、国内における格差の拡大である。経済的、社会的な格差が、先進諸国において拡大している。「丸太小屋からホワイトハウスへ」というアメリカンドリームは現実のものではなくなっている。格差の拡大が、既存の政治に対する幻滅を呼び、その国民感情にトランプは訴えて勝利したのである。

トランプ現象の背景には、繁栄に取り残された白人労働者の群れがある。この問題に触れ、2016年にアメリカでベストセラーになったのがJ・D・ヴァンスの『ヒルビリー・エレジー：アメリカの繁栄から取り残された白人たち』（関根光宏・山田文訳、光文社、2017年）という本である。

ケンタッキー州・オハイオ州のアパラチア山脈地方、ラストベルト（錆び付いた工業地帯）で育ちながら、イエール大学のロースクールを卒業してアメリカンドリームを体現した著者（1984年生まれ）が、それまでの過酷な家庭環境や衰退するコミュニティについて記した回顧録である。

「ヒルビリー」というのは田舎者の蔑称であり、「レッドネック（首筋が赤く日焼けした白人労働者）」とも「ホワイトトラッシュ（白いゴミ）」とも呼ばれるが、実は、彼らこそが「Make America Great Again（アメリカを再び偉大にしよう）」と訴えるトランプ候補を熱烈に支持し、大統領の座に押し上げたのである。

アメリカンドリームとは、親の世代より経済的に成功し、社会の階級を上昇していくことをいうが、労働者階級の白人はその夢を持つことができない状況であり、「白人の労働者階層は、ほかのどんな集団よりも悲観的だった」（p305）。そして、「アメリカのあらゆる民族集団のなかで、唯一、白人労働者階層の平均寿命だけが下がっている」（p235）という。

1970年代以降、グローバル化に伴う国際競争力の低下によって、アメリカの製造業は衰退していった。1950年代のアメリカの繁栄は過去のものとなり、大量の白人労働者が解雇され、家族や地域コミュニティが崩壊し、ドラッグが蔓延した。そのような地方の白人労働者にとって、「アメリカファースト」を声高に叫び、「メキシコとの国境に壁を築く、不法移民を締め出す、雇用を創出する」と約束するトランプは救世主のように見えたであろう。

ヴァンスは、トランプの支援を受けて、2022年の中間選挙で共和党からオハイオ州で立候補し、民主党候補を破って上院議員になっている。

感染症は人類の敵か

２０１９年末に中国の武漢で発生した新型コロナウイルス感染症はパンデミックとなり、多くの犠牲者を生んだ。３年半余が経過した２０２３年9月現在で、死者は累計で６９０万人、感染者は6億９０００万人とされているが、実際はその数倍だと見られている。感染症の蔓延を防ぐためには隔離が不可欠であり、それは人類の経済活動に大打撃をもたらした。パンデミックのときには、海外渡航をはじめ、自由な活動ができなくなる。ロックダウン（都市封鎖）となれば、最悪の場合、自宅から一歩も外に出ることができなくなる。その意味で、感染症は自由な社会の敵である。

先端技術による国民監視が功を奏した例は中国である。新型コロナウイルス流行に際しては、中国は先端技術を駆使して、住民を監視し、ロックダウンを実行した。感染を防止するために、基本的人権・自由を抑圧した。

地球温暖化の影響か、21世紀になって5～6年ごとに新しい感染症が発生しており、今後もそれは続くと予測されている。2002年にSARS、2009年に新型インフルエンザ、2012年にMERSが流行し、そして2019年から新型コロナウイルスが蔓延している。おそらく、10年後の2030年頃には、また新たな病原体による感染症が世界を襲うかもしれない。

「病原菌との共生」を追求すれば、命を守るために自由を捨てざるを得ないことになる。国民の行動監視が常態化する不自由な時代の到来を覚悟せねばならないのだろうか。

世界の覇権をめぐる米中の争いで、軍事や経済については、中国が猛烈な勢いでアメリカに追いついている。問題は、民主主義という価値観について、どのような立場をとるかということである。世界中でポピュリズムの嵐が吹き荒れ、民主主義の統治能力が問われる中で、「幸福な監視社会」を実現させた中国である。共産党の支配のほうが安定性を含め、統治が上手く機能しているのではないかという意見が世界中で力を持ち始めている。

10年後の病原体への対応で、アメリカを中心とする民主主義社会が中国の強権主義に遅れをとれば、中国が支配する世界となるかもしれない。究極のディストピアである。

カミュ『ペスト』と感染症

未知の感染症に襲われたときに、人々がどのように対応するのか、それを描写した小説が、カミュの『ペスト』である。この本は1947年にパリで出版され、ベストセラーになった。

物語は、アルジェリアの港町、オランを舞台に始まる。オランは、首都アルジェに次ぐアリジェリア第二の都市で、アルジェリアは、当時はまだフランスの植民地であった。多くのフランス人が入植していたが、カミュの一家もそうで、父は農場で働く労働者であった。カミュは、1913年11月7日にモンドヴィという町の近郊で生まれる。

カミュは1936年アルジェ大学文学部を卒業した後、ジャーナリストとして活動し、作家活動も始め、1942年6月には『異邦人』を出版した。同年10月には『シーシュポスの神話』を世に出している。

1942年には、1931年に発症した結核が再発し、療養のためフランス本国に移る。当時のパリは、ナチスドイツに占領されていたが、カミュはサルトルなどの文化人と知り合うとともに、対独抵抗運動(レジスタンス)にも参加する。

『異邦人』と『シーシュポスの神話』で、カミュは、世界が「absurde（不条理な、馬鹿げた）」ことに溢れているという視点を打ち出す。「不条理の哲学」などと言われるが、わかりやすく言えば、自然災害、感染症、戦争などが人間社会を襲ってくることである。

そのような災難に対して、人間はどのように生き抜くのか、それこそが本書『ペスト』の主題だと言ってもよい。何の罪もない人が、ペストに感染して命を奪われてしまう、それは全く不条理なことである。

物語は、オランの町で奇妙なことが起こっているということから始まる。1940年代のある年の4月、医師のベルナール・リウーはネズミが次々と死んでいくのを目撃する。そして、高熱を出した門番の老人を診察すると、リンパ腺が腫れ上がり、脇腹に黒い斑点が広がっていた。翌日には、その老人は死ぬが、同じような症状で命を落とす人が増えていく。ペストである。

カミュは、「人々は天災など信じなかった。それは人間の尺度では計り知れない。それは非現実的な悪夢で、すぐに終わると考えていた」（以下、『ペスト』からの引用文は全て私の邦訳である）と記している。しかし、「天災があるかぎり、誰も自由ではないのだ」と、人間の傲慢さを指摘する。

人間は、病原体のことなど考えもせずに、自分たちの都合ばかりを優先させる。このような自分勝手な人々をカミュは、「humanistes（人間中心主義者）」と称すが、これは、私たちが一般的に使うヒューマニズムとは全く意味が異なる。

リウー医師は、ペストに対応するため、県庁で会議を開催させるが、医師会会長のリシャールは、法律通りに適用せねばならないと主張する。リウー医師は、「問題は、法律で決められた措置が重要かどうかではなく、それが町の住民の半数が死ぬのを防ぐのに必要かどうかだ」と喝破した。

その後、植民地総督からの命令でオランはペスト感染地区に指定され、都市封鎖となる。アラブ人の生活状態の取材にパリから来ていた新聞記者のレイモン・ランベールも、パリに戻れなくなる。

カミュは、「ペストが、市民に最初にもたらしたものは追放（l'exil）だ」と記している。

感染症は、人間の経済活動を止めてしまう。「商業もまたペストで死んだ」とカミュは、都市封鎖下のオランの状況を描写する。ランベールはリウー医師の許（もと）にやってきて、パリに戻りたいのでペストに感染していないという証明書を書いてくれるように頼むが、リウーはそれを拒否する。

ランベールは「あなたは理性の言葉を喋（しゃべ）っている、あなたは抽象の世界にいる」と非難するのである。リウーにとっては、「ペストという抽象」と戦うために、パリに帰るという「個人の幸福」は犠牲にせざるを得ないのである。カミュは、これを「陰鬱な戦い」と表現している。

イエズス会の司祭パヌルー神父は、宗教という立場からペストという厄災が神による罰だと説教する。

町では、感染防止策を講じるために必要な人員が不足する。その状況を見て、リウーの知人のタルーは、保健隊というボランティア組織を立ち上げる。そして、この保健隊には、市役所で勤務するグランという男も、そして記者のランベールも加わる。

8月の熱暑とともに、ペストはますます猛威を振るっていく。不安に駆られた群衆による略奪や放火なども発生した。また、感染防止の観点から海水浴も葬式も禁止された。「ペストは皆から愛の能力、そして友情の能力すら奪ってしまった」とカミュは書いている。

9月も10月も、ペストの感染状態は継続していく。オトン判事の息子がペストに命を奪われる。無垢な少年の死こそ不条理そのもので、パヌルー神父もショックを受け、保健隊の活動にも参加するが、そのパヌルーもまたペストに斃(たお)れてしまう。

ペストは万人に公平に作用するはずなのに、貧富の格差をむしろ広げるという不平等をもたらしたことにも、カミュはきちんと触れ、「エゴイズムの正常な作用によって、人々の心には不公正の感情が強まっていった」と書いている。

11月になってペストは安定期に入り、後は終息するのを待てばよいという希望的観測も漏れ始めるが、そのような時期になって、医師のリシャールもペストで亡くなる。タルーは、リウー医師に父親が検事だったことなど、生い立ちを語る。リウーはタルーに「心の平和に到達するにはどうすればよいか」と尋ねるが、タルーの答えは、「la sympathie（共感）」であった。

実は、その「共感」、人間の連帯こそが、「不条理の作家」が小説『ペスト』で到達した地点だったと思う。

12月になっても、ペストは腺ペストから肺ペストに移行しながら感染を続ける。ところがクリスマス頃から、変化が生じ始め、ネズミが再び活動を始め、年が明けるとペストは終息していく。1月25日、ペストの終息宣言が出され、2月には都市封鎖が解かれ、オランの門が開かれた。

カミュは、「厄災の中で、人間には軽蔑すべきものよりも称賛すべきもののほうが多くあるということを教えられる」という希望の言葉で、小説『ペスト』を閉じている。

天災と言うべき感染症には、皆で連帯して当たらねばならない。不条理に打ち勝つためにも、カミュの『ペスト』は大いに参考になると確信している。

おわりに

第一次世界大戦の講和条約が締結されたのが1919年、それからわずか20年後に第二次世界大戦が始まった。なぜなのか。これが学者としての私の一貫した関心であり、50年以上もそのテーマを研究してきた。

第一次世界大戦から第二次世界大戦に至る現代史を動かしてきたムッソリーニ、ヒトラー、スターリンという独裁者研究を公刊したのもその一環である。

ところが、21世紀の今も人類はまだ戦争を止めない。無辜の民が戦火の犠牲になる悲劇が継続している。

「歴史を学ばない国民は滅びる」という。私たちは、悲惨な戦争の歴史を忘れてしまったのか。ヨーロッパ留学中に、第二次世界大戦を生き抜いた政治家たちから直接思い出話を聞く機会があった。たとえば、フランスのド・ゴール将軍の側近にも敵対者にも会ったが、歴史は人間が作っていくものであることを再認識させられた。

若者たちと議論していると、さすがにヒトラーを知らない者はいないが、ムッソリーニやスターリンとなると、「それは誰?」という答えが返ってくる。

ファシズムやソ連邦のことは義務教育でも学んでいるはずだが、忘却の彼方に追いやられている。第二次世界大戦が1945年に終わってからもう70年以上が経過しており、若い世代とは無縁の出来事になってしまっているのだろう。

私が学生時代に世界中の若者が何らかのかたちで関わったベトナム戦争についても、今の若者にとっては遠い過去の出来事であり、関心もない。それだけに、今の統一されたベトナムが、フランスの植民地とされた後、どのような苦難の道を歩んできたかを知らない。ベトナムに観光旅行に行けば、そのような厳しい歴史を伝えるモニュメントが各地にある。その意味を理解するためにも、現代史の理解は不可欠なのである。

それは、韓国についても同じで、日本の植民地支配、朝鮮戦争、南北を分断する38度線などの現代史に無知であれば、韓国の人々との相互理解は難しい。さらにいえば、自分の国である日本の歴史すら知らないのでは、日本の将来は暗いと言わなければならない。

私は、歴史家として、また過去の出来事の「語り部（ストーリー・テラー）」として、世界の動きについて、中学生にも理解できる平易な形で執筆を続けている。本書が日本人の世界理解のための道具となるならば、嬉しいかぎりである。

SBクリエイティブ学芸書籍編集部の小倉碧さんには、企画の段階からお世話になった。とくに若い世代の代表として、現代史に関する数々の疑問を投げかけてくれたことが本書となって結実したのである。記して、感謝の意を表したい。

2024年2月5日

舛添要一

著者略歴
舛添要一（ますぞえ・よういち）
国際政治学者、前東京都知事。1948年、福岡県生まれ。1971年、東京大学法学部政治学科卒業。パリ、ジュネーブ、ミュンヘンでヨーロッパ外交史を研究。東京大学教養学部政治学助教授を経て政界へ。2001年参議院議員（自民党）に初当選後、厚生労働大臣（安倍内閣、福田内閣、麻生内閣）、東京都知事を歴任。『プーチンの復讐と第三次世界大戦序曲』（集英社インターナショナル）、『ヒトラーの正体』『ムッソリーニの正体』『スターリンの正体』（すべて小学館）など著書多数。

SB新書　649

現代史を知れば世界がわかる

2024年3月15日　初版第1刷発行

著　者　舛添要一
発行者　小川 淳
発行所　SBクリエイティブ株式会社
〒105-0001　東京都港区虎ノ門2-2-1
装　丁　杉山健太郎
DTP　株式会社キャップス
校　正　有限会社あかえんぴつ
編　集　小倉 碧
印刷・製本　大日本印刷株式会社

本書をお読みになったご意見・ご感想を下記URL、
または左記QRコードよりお寄せください。
https://isbn2.sbcr.jp/23647/

ISBN　978-4-8156-2364-7